LA NOVELA:
GALDÓS Y UNAMUNO

FRANCISCO AYALA

LA NOVELA: GALDÓS Y UNAMUNO

BIBLIOTECA BREVE
EDITORIAL SEIX BARRAL, S. A.
BARCELONA

Primera edición: febrero de 1974

ISBN 84 322 0258 4
Depósito legal: B. 49.081-1973

Printed in Spain

NOTA EDITORIAL

Constituyen el presente volumen varios ensayos publicados por el autor con anterioridad en periódicos y revistas, algunos de ellos además reunidos posteriormente en libro: así, "El arte de narrar y el oficio del novelista", aparecido en La Nación, *de Buenos Aires (21 junio 1959), y en la* Nueva Revista Cubana, *II 1 (enero-marzo 1960), figura en* Experiencia e invención (Ensayos sobre el escritor y su mundo) *(Madrid: Taurus, 1960); "Sobre el realismo en literatura", que inicialmente se publicó en* La Nación *(18 enero 1958 y 18 enero 1959), pasó luego a formar parte asimismo del citado volumen de ensayos; "Los narradores en 'Las novelas de Torquemada' ", dado a conocer en* La Nación *(22 marzo 1970) y en* Cuadernos Hispanoamericanos, *Nos. 250 y 252 (octubre 1970 y enero 1971), "La creación del personaje en Galdós", publicado en* La Nación *(28 marzo 1971 y 25 abril 1971), y "Conmemoración galdosiana", aparecido en* La Nación *(16 mayo 1943), pasaron a formar parte de* Los ensayos: teoría y crítica literarias *(Madrid: Aguilar, 1972). Por lo que respecta al estudio sobre "El arte de novelar en Unamuno", incluido junto a otros ensayos del autor en* Realidad y ensueño *(Madrid: Gredos, 1963), fue incorporado años después al citado volumen* Los ensayos: teoría y crítica literarias.

EL ARTE DE NOVELAR
Y EL OFICIO DEL NOVELISTA

En el tiempo de mi juventud escribir novelas era todavía una profesión, y profesión muy honrada. Se era novelista como podía serse comediógrafo o dramaturgo, o abogado, o dentista. A decir verdad, la gente se aplicaba, en general, al cultivo de las letras, para cualquiera de sus ramas, sin necesidad de haberse planteado previamente cuestión alguna acerca del sentido de tal actividad. Le bastaba al escritor en ciernes para decidirse con sólo consultar sus personales talentos, afición, gusto, facilidad; y si se sentía dotado, no tenía por qué preocuparse de más: abiertas estaban las tradiciones de los distintos géneros poéticos invitándole a probar sus armas noveles en uno u otro o varios, según sus propensiones, su temperamento o la índole de aquella intuición literaria a que, en el caso concreto, se propusiera dar forma. Pues la pluralidad de esos géneros parecía ofrecer cauce adecuado—y, desde luego, modelos admirables—a las más diversas disposiciones, actitudes e íntimas urgencias de expresión del espíritu humano, desde la tragedia hasta el epitalamio o el epigrama.

Por otro lado, y para completar el cuadro, en la organización social se hallaban previstas ya, establecidas, unas cuantas posiciones, más o menos modestas, más o menos prestigiosas e influyentes, dentro de las cuales podía el futuro escritor desplegar, con aceptación del prójimo, sus habilidades literarias. Entre las figuras públicas, era la del literato una bien conocida y plausible. O, mejor dicho, son varias y diversas, a veces híbridas, las figuras sociales que daban oportunidad al ejercicio de las letras; pero si dejamos a un lado las diferentes especies de los oradores y periodistas, de los ensayistas, de los historiadores, etc.—pues la amplitud de aquel ejercicio no se niega a ninguna manifestación espiritual que tenga por vehículo la palabra—, para reducirnos al jardín de las ficciones poéticas, aquí nos encontramos al novelista disfrutando de los prestigios ambiguos con que sus conciudadanos han solido ornar, bajo la sugestión arcaica de Orfeo, la imagen del *poeta,* del *artista,* entre abyecta y sublime, pero en todo caso fuera de lo normal. Pese al aburguesamiento y consiguiente regularización del oficio literario, todavía se le toleraban al monstruo sagrado—¿qué digo toleraban?, se esperaban de él—comportamientos extravagantes, actitudes pintorescas, en fin, *genialidades.* De "eximio escritor y extravagante ciudadano" calificó a Valle-Inclán en ocasión memorable un jefe de Gobierno español. Y a todos los de su generación hubieran podido aplicárseles—en realidad se les aplicaron—calificativos semejantes. Pero no sería ya un dictador militar, sino—muy característicamente—otro escritor más joven, quien castigaría a Unamuno con el dictado de energúmeno; y no por cierto en una hora de impaciencia o un movimiento de mal humor; pues el Ortega y Gasset joven que tal hiciera volvió de viejo a observar que toda esa generación de escritores, no sólo en España, sino en todo el mundo, por los motivos que explica, "se dedicaron a tener y hacer genialidades...". Los tiempos estaban cambiando, y con ellos la posición del escritor dentro de la sociedad.

Tanto han cambiado desde entonces, que hoy el poeta procura más bien disimularse bajo el hábito de burócrata, de catedrático, de cualquier cosa antes que oficiar de monstruo sagrado. Hasta fue moda para una generación posterior el disfraz de hombre de acción, en cuya actitud quizá se advierte, por paradoja, un elemento del antiguo histrionismo. De cualquier manera, ahora, si todavía celebran alguna vez, divertidos, los periódicos, tal capricho de una "diva"—casi nunca las *originalidades* de un vate—, el destronamiento de su imagen demoniaco-divina, la declinación de su dignidad, es un hecho evidente. Ya no hay alrededor suyo reconocimiento para semejante figura. Y, en cambio, vemos rebrotar una figura social más o menos relacionada con las letras y que se daba por extinguida: la del juglar que, bajo nombre de *entertainer* y de otros modos, se alza con vigor renovado y concita la popularidad desde una posición en nada similar a la de los artistas dignificados que hemos conocido. Los nuevos juglares, como los de tiempos remotos, cambian sus habilidades por un vaso de *bon vino*; y lejos de pretenderse vasos, ellos mismos, elegidos de un espíritu superior, se saben al servicio de la industria que los sostiene; tan poco poseídos ni siquiera de sí propios, que sin empacho se vilifican canturreando las loas de una marca de cigarrillos o de cerveza después de haber entonado acaso una canción de Schubert.

Escandalicémonos, si nos place; pero después de habernos escandalizado, menester será preguntarse qué puede significar esa tendencia de la época, y aun si en el fondo de esos hechos no ocultará su apariencia ominosa algunas potencialidades prometedoras, algún factor sano y positivo.

A mi entender, ese destronamiento del Vate, y el predicamento nuevo, la gran popularidad de juglares varios: argumentistas, cineastas, y de ahí para abajo, tanto mayor cuanto más indefinida y *personal* sea su actuación, está ligado a otro hecho, quizá no tan visible: el de que los géneros literarios tradicionales han dejado de ser ya, quién sabe por cuántas razones, vehículo de expresión idóneo para los tiempos que vivimos, y eso tras haberse adaptado, desde aquella tradición de siglos, a las condiciones burguesas del XIX con una elasticidad que ahora, en el nuestro, parece haber llegado al límite. Ahora, en efecto, vemos que algunos de esos géneros han desaparecido, sencillamente; mientras que otros continúan sugiriendo a recientes camadas de escritores un melancólico cultivo, y hasta permitiéndoles de cuando en cuando muy apreciables logros; pues de todas maneras, y aunque se quiera hablar de evolución, transformación o renovación de tal o cual género, lo cierto es que el sistema en su conjunto se ha agotado, llegando a hacerse más que dudoso. Con lo cual, el papel público, figura y profesión del escritor, han llegado a ser, en parte, harto cuestionables.

Muy distraído hay que estar, pues, para dedicarse hoy a las letras sin un sobresalto, sin la menor duda acerca de la justificación que pueda tener, frente al mundo y en el fuero de la propia conciencia, este ejercicio.

En medio de los cambios estupendos que nuestra generación está presenciando, esta destrucción de la literatura no tiene por qué producirle a nadie—salvo, acaso, a nosotros mismos, los escritores—ni asombro ni demasiada consternación. Después de todo, lo que llamamos un género literario no pasa de ser una determinada y concreta técnica de acuñación poética, constituida probablemente a partir del tanteo afortunado de un gran creador o, más probablemente aún, de los aciertos sucesivos y acumulados de varios, dentro de circunstancias a las que debe su posibilidad, consistencia y sentido. Aunque sirva de vehículo a intenciones trascendentales, y quieran plasmarse por su medio valores eternos, esto no se podrá entender sino dentro de la corriente del tiempo, y desde ella, porque se trata de productos históricos. Y en nada difieren por tal concepto de las técnicas propias de otras artes, que también se constituyen en un momento dado para servir de cierta manera a ciertas necesidades expresivas, y llegan a establecer una tradición respetable; hasta que, habiendo cambiado el ambiente social que las rodea, empiezan a antojársenos un tanto vacías, nos cansan en su rutina, llegan a dar aborrecimiento y, poco a poco—o a lo mejor casi de repente—, caen en el abandono, quizá sustituidas por otras nuevas. Y claro es que, según la profundidad del cambio social sobrevenido, ese deterioro y consiguiente abandono o renovación afectará a capas más o menos superficiales de la técnica correspondiente; puede, incluso, arruinarla por entero.

Véase, a manera de ejemplo, lo sucedido con el arte ilustre de la pintura, que, desde el Renacimiento, en que se inventaron, prosperaba dentro de la técnica material o artesana del cuadro al óleo, y de la técnica representativa fundada en las reglas de la perspectiva óptica. A base de ellas, y sin salir de su marco, el arte ha evolucionado durante ese tiempo, de siglo en siglo, de escuela en escuela y de generación en generación, por la mudanza del tema, de la composición, del colorido... Todavía el impresionismo, con significar una revolución de alcance enorme en cuanto al tratamiento de la luz, sigue confinado en los límites del lienzo al óleo y de la perspectiva renacentista; mientras que, simultáneamente, Cézanne, y luego el cubismo, empiezan a quebrar las convenciones de esa perspectiva de cámara oscura, en busca de otras maneras de *ver* artísticamente la realidad. Al mismo tiempo, ciertos atrevimientos como los del *collage,* cuyo resultado concreto ha solido ser pura pamplina, revelan que el artista siente impaciencia frente al consabido objeto *cuadro,* y empieza a ponerlo en tela de juicio. Empujados por esta impaciencia, los más inquietos buscan otros objetos en que ejercitar su capacidad de creación plástica (objetos que, como en el caso de las prendas litúrgicas de Matisse, o de las alfarerías de Picasso, pueden bien ser los olvidados de puro sabidos); mientras que, por su lado, algunos teóricos del arte se preguntan si tiene sentido seguir pintando cuadros—destinados a pasar directamente, si la fortuna alcanza a tanto, del taller del pintor a la galería del marchante o al museo, pues ¿dónde quedan hoy los muros de palacios o templos, ni siquiera las paredes de un interior burgués para poder colgarlos?—, en una época cuya ingeniería está produciendo con vertiginosa fecundidad formas inéditas que moldean la vida en nuevas costumbres, y que reclaman, por cierto, dignidad estética. No parece, en efecto, fuera de razón la expectativa de que el artista plástico—y ya no lo estoy llamando pintor—abandone los prestigios del cuadro de caballete, relegue los pinceles y, a base de los materiales e instrumentos hoy disponibles, se aplique a perseguir el valor de belleza sobre las realidades germinantes de un mundo tan necesitado de expresión espiritual. Ni la sombra de Miguel Ángel, urbanista, ni la de Leonardo, ingeniero, se sentirán traicionadas.

Este ejemplo de la pintura no pretende sino mostrar que lo dicho antes acerca del agotamiento de los géneros literarios está bien lejos de constituir una extraña singularidad. Si, como me parece indudable, los géneros tradicionales han perdido significación, y algunos hasta han sido abandonados por completo (¿a quién se le ocurriría hoy ponerse a escribir una epopeya?), su decadencia indica que esos dispositivos técnicos en que consisten no corresponden ya, o sólo en medida muy escasa, al estilo de nuestra época, y no sirven para darle expresión adecuada.

Pero tampoco quiero decir con esto (y debo advertirlo, porque interpretaciones tales están muy al uso) que la literatura, ni en sus obras particulares, ni en sus tendencias, escuelas o géneros, consienta ser tomada como un resultado mecánico de las circunstancias sociales.

Ni siquiera me parece lícito establecer correlaciones rigurosas—mucho menos, unilaterales—entre ambiente social y literatura. Admito, incluso—pues el espíritu humano se complace a veces en afirmar su libertad al extremo—, admito, y hasta consideraría fácil documentarlo, algún que otro desarrollo opuesto por su sentido a las que suelen llamarse corrientes de los tiempos. Pero, con todo, no es menos cierto que la libertad del hombre se da siempre en el campo de la historia, opera sobre el terreno de los condicionamientos sociales y con ellos cuenta, explícita, pero más aún implícitamente, la creación poética.

Ahora bien: los tiempos han cambiado tanto que, por lo que a nuestro asunto se refiere, apenas valdría la pena considerar las perspectivas de una evolución mediante la cual procuraran adaptarse a sus actuales exigencias los antiguos géneros literarios, que tienen, sin duda, elasticidad, pero que más allá de un límite hacen quiebra. Decir, como Cervantes lo dijo, y como todavía suele repetirse, que la novela sea épica en prosa ("que la épica tan bien puede escribirse en prosa como en verso") excede la licencia aceptable en el manejo de los conceptos. Por no salirse de los cuadros de la poética admitida, quiere asimilarse lo nuevo, forzándolo, a aquel género con el que mayor parentesco presenta.

Y no sin cierta disculpa para el caso de la novela. En su fondo, como en el de la epopeya, encontramos el relato de acciones consideradas de alta significación para la comunidad a que se destina la obra. Y, por otro lado, en cuanto a la técnica del relato mismo, una de las raíces de la novela moderna está, como es archisabido, en los libros de caballerías, degeneración y prosificación del poema heroico.

En suma, dicha técnica consiste en presentar por orden sucesivo la serie de aventuras en que se realiza la vida del héroe; y aunque desde muy temprano se han escrito también novelas en que el relato se combina con la presentación dramática del asunto (combinación épico-dramática que, por lo demás, encontraba Aristóteles ya en Homero), siempre, y todavía ahora, aquella disposición lineal de los acontecimientos referidos sigue prevaleciendo en el campo de la novelística. No afirmaría yo que por la fuerza constitutiva del modelo épico, sino porque, antes de toda formación genérica y de toda estructura literaria, el relato, escrito u oral—sea de hechos sucedidos o fingidos—, articula el material de la narración en una secuencia temporal de la cual depende su organización lógica. Se trata de un procedimiento primario, impuesto por la necesidad de hacer inteligible algo que, como perteneciente a la vida humana, se realiza en el tiempo. Tanto es así, que su ocasional, aun cuando cada vez más frecuente, abandono en la literatura novelesca actual está ligado al designio opuesto: al propósito de presentar la vida humana precisamente como ininteligible, como absurda... Pero más adelante podrá columbrarse lo que este propósito significa.

Por lo pronto, nos interesa insistir ahora sobre el hecho de que la novela advino como una nueva manera de expresión literaria, cualesquiera puedan ser sus antecedentes y las concomitancias que quieran reconocérsele; y que su advenimiento se produjo al iniciarse en el Renacimiento el cambio de las circunstancias sociales que, con aceleración creciente, conduciría hasta las actuales, donde—según indicábamos—el viejo sistema de los géneros literarios ha llegado a mostrarse tan insatisfactorio como la profesión misma de las letras.

En situación tal, es la novela—no ningún género de poesía en verso, ni tampoco el teatro—la que, con su conocida plasticidad y casi completa falta de requisitos formales, nos presta en alguna manera el servicio de abrir un cauce literario a las percepciones imaginativas del mundo en torno y a las intuiciones acerca del destino que dentro de él le corresponde al ser humano.

Ahora bien: la novela, a la que suele incluirse con apresuramiento en el cuadro de los géneros literarios tradicionales, creció en verdad desnuda de prestigio; y es dudoso que todavía, a la fecha, no se la tenga generalmente más por entretenimiento sin respetabilidad que por arte; sí, entretenimiento intrascendente de gente ociosa, descuidado relleno de ratos perdidos, una función que hoy le disputan con ventaja el cine, la radio y la televisión, de cuyo gusto sienten también el pudor, como de la lectura de novelas, las personas *serias,* si acaso incurren en tales recreos. La novela, en efecto, vino al mundo sin la dignidad reconocida a la poesía tradicional; y durante siglos tuvo que afrontar la ojeriza de la cátedra, sobre todo de la cátedra sagrada, púlpito y tribunal de la penitencia, porque seducía con sus vanidades la imaginación de la juventud, abriéndole perspectivas mundanas capaces de distraerla de lo que más importa. Y no era, por cierto, infundada esta prevención contra la novela que, sin autoridad ninguna, se permitía abrir una libre indagación acerca del sentido de la vida, en competencia con el concepto establecido e inmutable cuya salvaguardia procuraba la Iglesia celosamente.

Se inicia la novela como una literatura burguesa—y sería interesante estudiar su historia, desde los primeros conatos medievales hasta su apogeo en el siglo XIX, a la luz del desarrollo de la burguesía. Diversión o no —y todo arte es, en un alto sentido, juego, comporta placer, no lo olvidemos—, las ocurrencias relatadas en ella encaran al lector, desde niveles diversos, con la cuestión del humano vivir como un problema inmanente a la existencia terrenal, problema abierto, auténtico problema cuya solución no está prevista, sino que debemos buscar nosotros, poco seguros, por supuesto, de dar al final con ella.

Me parece que es ahí donde reside, aunque por lo común implícita, la intención de ese pretendido y de otro modo tan inexplícitamente laxo género literario al que llamamos novela. Ella lo distinguiría, por una parte, de los géneros tradicionales tomados en bloque, y por otra, de formas literarias ancestrales, como el cuento, con las que tan enlazado se encuentra. Pero, con eso y todo, la novela no es, desde luego, la épica en prosa sugerida por Cervantes. Y apurando bien las cosas, hasta diría yo que tampoco es un género nuevo; que no es ningún género, si por tal entendemos, como parece forzoso, una determinada forma, constituida por reglas y convenciones dentro de cuyo juego se produce la fabulación poética. Obras tan heterogéneas como *Les Miserables,* de Victor Hugo; el *Amadís de Gaula*; *La Dorotea,* de Lope; *L'Espoir,* de Malraux; *La Princesse de Clèves*; la *Diana,* de Montemayor; *Guzmán de Alfarache*; *Niebla,* de Unamuno; los *Episodios nacionales,* de Galdós, o *Le Poète assassiné,* de Apollinaire, a las que conocemos sin apenas contradicción bajo el nombre de novelas, hacen pensar más bien en el olvido de toda disciplina a favor de un caos donde la literatura, tal como la hemos conocido, sucumbe; esto es, donde se pierden las formas, en procura de un regreso a las fuentes originarias de la experiencia humana.

Un poema épico, un soneto, podrán ser excelentes o rematadamente malos; pero en este último caso serán mala poesía, como es mala pintura el desafortunado paisaje que nos sale al paso en una exposición de cuadros; el propósito estético, aunque frustrado, constituye su sentido; no tienen otro. Pero es evidente que con la novela, aunque puede ocurrir eso, no ocurre en la mayoría de los casos, ni tiene por qué; más aún, faltan los cánones para establecer un juicio; suele juzgársela a partir de lo que se denomina *una* estética, entendiendo por tal un criterio y gusto personales o a lo sumo de escuela; y todavía después de pronunciada la sentencia desde tan cuestionable tribunal no se habrá dicho todo, pues la mayoría de las novelas que se publican están lejos de pretender relación ninguna con las *belles lettres,* no aspiran a ser literatura, o lo desdeñan; su intención es otra, y el dictamen estético resultaría tan incongruente frente a ellas como frente a la mayoría de las películas que sirven de pasto a la imaginación de las multitudes, aunque a veces, en su vía, surja una gran obra de arte.

De este modo, y aun cuando—muy burguesamente, por lo demás—la novela haya querido, en ocasiones, invocar falsos títulos y acogerse a los blasones dudosos de "épica en prosa", no carece de fundamento el desdén con que siempre se la ha considerado como lectura sólo apropiada para gente de poco seso, mujeres y ociosos pajes, pero indigna de los sesudos varones formados en el rigor de las disciplinas serias, quienes ¿cómo no despreciarían este descabellado fantasear, comparable a los cuentos con que las viejas entretenían a los niños? Hoy los niños se entretienen con las tirillas cómicas o mirando la televisión; y cuando el ingeniero atómico, el profesor de matemáticas, el director de empresa, leen su novelita detectivesca o pasan la vista como al descuido por esos mismos *comics* en el periódico del domingo, lo hacen con ocultación y ánimo de condescendencia, pues todo eso queda fuera de la literatura.

Pero todo eso—las novelas, inclusive; digo, las buenas, y, principalmente, las buenas, las grandes novelas—responde a una necesidad radical del espíritu, que en nuestro tiempo no encuentra satisfacción mediante un sistema firme de creencias capaz de ofrecer una interpretación del mundo generalmente válida; una interpretación del mundo centrada sobre la cuestión cardinal acerca de qué sea el hombre, de dónde venimos y adónde vamos; la pregunta que, oscuramente o con lucidez, nos estamos haciendo cada cual desde el fondo de su conciencia, mientras la vida nos dura.

Sí, así es; la dueña de casa que escucha con intensa participación emocional la novela de la radio; la mecanógrafa que devora infatigablemente la trama siempre repetida de la misma aventura en su revista semanal, y aun la vecina chismosa que se muere por averiguar vidas ajenas, están buscando la respuesta que ninguna autoridad fidedigna les ofrece hoy a aquella cuestión metafísica del destino humano.

La buscan a su manera, a tientas, con patética ineptitud, pero con el certero instinto, sin embargo, de escrutar allí mismo donde Cervantes, desde la apertura de los tiempos modernos, había situado el arte de hacer novelas: en la conducta del prójimo, captada no por referencias a unas pautas dadas de antemano, sino por la intrincada textura de sus impulsos, motivaciones y consecuencias.

Me parece que, tomada en conjunto, la historia de ese supuesto género literario podría cifrarse en el intento de alcanzar, por caminos intuitivos, lo que especulativamente ha perseguido también el filosofar sistemático mediante el cultivo de la antropología. Por ello no debe extrañarnos que ciertos grandes novelistas, como Dostoyevski, hayan sido invocados desde el campo especulativo. Dostoyevski, que se asoma al abismo cuando contempla el sufrimiento de los inocentes, y descubre que, si Dios no existiera, todo estaría entonces permitido...

Es que con la novela nos colocamos más allá de la literatura, más allá y más acá, en un terreno donde cabe también, entre lo infra y lo supraliterario, un arte poética, cuyas reglas, si tal puede llamárselas, son individuales y casi intransferibles, inventadas para cada caso por cada creador original, pues fuera de los secretos magistrales que el artista concreto se lleva consigo, no hay apenas una verdadera técnica del oficio; la *técnica* de hacer novelas resulta ser tan abierta, tan libre, que cualquiera la halla a mano para los fines de cualquier relato, con el solo pertrecho que le haya proporcionado la enseñanza primaria, y aun ésta le sobra, si tiene genio: de tal ilustre novelista se sabe, cuya ortografía no era muy católica... En fin, esa técnica se reduce a usar cada uno, según su talante, de los recursos que el lenguaje común nos ofrece a todos.

Sólo que aquí, una vez más, libertad significa responsabilidad; y no es pequeña, por cierto, la que el novelista se echa sobre los hombros, sea o no consciente de ello. Ha de serlo, si entra en la categoría de los buenos novelistas. Los del siglo XIX estaban, desde luego, muy en lo suyo, y lo tomaban a pecho; se daban por misión nada menos que la de revelarnos al ser humano en su tiempo, ofreciendo así razón del mundo. Y no iban descaminados; porque si la clave del universo ha de buscarse a través del sentido de la existencia humana, es decir, interrogando a la vida misma, como ya lo hizo Cervantes, no puede perderse de vista que ésta, la vida humana—y en ello se diferencia del mero vegetar biológico—, está dada siempre dentro de unas circunstancias históricas particulares que constituyen su perspectiva real, el campo de su realización; circunstancias que están abiertas al futuro y requieren, de quienes las comparten, un continuo ejercicio del albedrío.

Así resulta lícito afirmar que toda novela es, en una acepción amplia, novela histórica; el novelista tiene, sin remedio, que colocar su creación imaginativa sobre el terreno histórico, y lo hace no sólo cuando localiza su acción en el tiempo y en el espacio, para dar a sus personajes el ambiente de la rigurosa actualidad, sino también cuando la rehúye, refugiándose en un pasado concluso—con la novela histórica en sentido estricto—, o en los parajes de la pura fantasía, pues ambas direcciones del escapismo son, de modo muy caracterizado, fruta del tiempo, y aluden inequívocamente a las condiciones inmediatas del escritor y de sus lectores; son, en fin, formas de interpretar el mundo a partir de la experiencia de la vida humana actual, y, por tanto, signos destinados a orientarla, pues tal es la responsabilidad que, a sabiendas o no, asume el novelista frente a sus contemporáneos.

Y quizá no sea excusado advertir que esta responsabilidad nada tiene que ver con exhortaciones, con intenciones pías, nada con adoctrinamiento ni prédica. Condenar las novelas de Faulkner—o la de Quevedo—porque presentan una imagen negativa del mundo sería ocurrencia de la más mezquina futilidad. El novelista de hoy, como—a su manera—el del Barroco, nos da a entender quizá que la vida carece de sentido, que no es sino vacía y absurda; pero al encararnos con esta oquedad metafísica nos arrancan a la cotidiana distracción para proyectarnos—a ti y a mí, y a cada cual—de cabeza sobre el problema de su propio, individual, personalísimo existir en el mundo. Pues el compromiso del novelista consiste en ser sincero hasta la raíz y ahondar hacia ella con toda la penetración de que sea capaz; en no mentir nunca—mentir es mentirse—, o lo que es igual: evitar, en cuanto pueda, las ilusiones de la superficialidad.

Ahora bien: al hablar del *novelista* después de todo lo dicho sobre la cuestionabilidad del género novela, y en general sobre el deterioro de las viejas estructuras literarias, es claro que no me estoy refiriendo a aquel digno y orondo profesional, el *cher maître* instalado en su carrera literaria; no me refiero a él de modo especial y exclusivo, sino que aludo también a cuantos están empeñados por todos los medios—así sean los *mass communication media*—en transmitir a sus contemporáneos sus intuiciones, que por extensión llamaremos literarias, acerca del sentido de la vida humana, y con ellas, su visión o vislumbre del mundo.

PÉREZ GALDÓS

SOBRE EL REALISMO EN LITERATURA

El concepto de realismo literario

Ocurre con el concepto de *realismo* literario como, en general, con todos los conceptos: que, elaborados a partir de una intención concreta y con vistas a una concreta situación, por su propia índole aspiran a validez universal, fuera del tiempo y del espacio; mas tan pronto como se los comienza a extender, ocasionan equívocos e inducen luego a disparates diversos. Resulta así difícil darse cuenta, por ejemplo, del sentido exacto que pueda tener la calificación de *realista* cuando se la aplica, según se ha hecho hoy usual, a Cervantes, a Quevedo, a la novela picaresca; o cuando se pondera el *realismo* del Arcipreste de Hita o, incluso, del *Cantar de Mio Cid* y aun de toda la literatura española tomada en su conjunto.

Con mucho mayor motivo suele considerarse escritor realista a Galdós; pero incluso referido a él, que muy deliberadamente quiso serlo y que produjo su obra dentro de la sazón histórica del concepto, éste se nos escapa de entre las manos y se disuelve apenas nos proponemos darle una significación precisa en vez de tomarlo a beneficio de inventario y valga por lo que valiere. Porque, si se trata de una literatura que, de uno u otro modo, contempla la realidad y procura atenerse a ella, captarla y reflejarla, semejante propósito nos coloca nada menos que ante un pavoroso problema metafísico: el problema de la realidad misma. ¡Ahí es nada, saber de buenas a primeras qué sea la realidad, para declarar con todo aplomo que una cierta literatura, un cierto arte, se inspiran en ella, mientras que otros la eluden! Y aun dando alegremente—ingenuamente—por resuelta esa cuestión metafísica, según pudieron hacerlo épocas de firmes convicciones fundamentales (tal, acaso, la que originó en su día el concepto de realismo literario y artístico), y supuesto que no nos cupiera duda alguna acerca de los contornos que delimitan la realidad frente a lo que no lo es, todavía restarían muchas otras cuestiones por resolver a propósito de las relaciones entre aquélla y la obra de arte, entre aquélla y la imaginación poética, entre aquélla y el mundo subjetivo del escritor y de sus lectores: obra, imaginación y mundo subjetivo que, por cierto, ¿pertenecerían o no al orden de la realidad? Porque nadie ignora, pongo por caso, que el *surréalisme* vino a postular como realidad la más auténtica, esa que anida en el subconsciente y que se alcanza a través de los sueños...

Si, como es de rigor en los tiempos que corremos, en medio de mutaciones sociales, científicas y filosóficas tan radicales, comprendemos que la tal *realidad* no es cosa obvia ni siquiera en el plano físico que nuestros abuelos creían inconmovible, pero, por otra parte, nos abstenemos también de echar por la borda con un movimiento impaciente ese perturbador y confuso concepto de realismo, resistiéndonos a la tentación de eliminarlo como erróneo (pues no hay derecho, en términos intelectuales, para descartar con un gesto perentorio error que, en todo caso, ha tenido y tiene muy considerable aceptación práctica), nos quedará pendiente la tarea de averiguar qué es lo que por realismo han entendido las gentes, ya que, desde luego, bajo ese concepto se aludía siempre a algo, a un algo más o menos preciso, pero algo en fin.

Aparición histórica del concepto

Convendrá, pues, que, para intentar su esclarecimiento, comencemos por examinarlo allí donde por primera vez aparece formulado con el designio de expresar una cierta teoría artística y literaria. Es bien sabido que el realismo surgió en Francia hacia 1840—es decir, al mismo tiempo que Auguste Comte desarrollaba la llamada filosofía positiva en su famoso *Cours*—y que apareció con el carácter de reacción contra el romanticismo tanto como contra el neoclasicismo que éste había casi arrumbado ya; contra la fantasía desbordada de quienes fiaban a la inspiración y al estro todas las virtudes del poetizar, pero igualmente contra las reglas y los temas de una vieja y convencional retórica. Ya en 1842 había establecido Balzac, al redactar el prefacio de *La Comédie humaine,* una nueva preceptiva literaria que, implícitamente, era positivista; pero hasta los escritos polémicos de Zola, sobre todo *Le Roman expérimental*, publicado en 1880, no alcanzaría la doctrina, ahora bajo el rótulo de naturalismo, su punto de culminación y de exageración. Para el autor de *La Bête humaine*, el método del novelista debía asimilarse al del investigador científico, cuyo modelo, a sus ojos, estaba constituido por Claude Bernard. La novela debía ser sociología, estar basada en una antropología naturalista: el ser humano, en definitiva, no sería sino un producto más complicado de la evolución natural y, por consiguiente, una *bête.* Ahora bien: la *bête* misma, ¿no había venido siendo considerada, a partir de Descartes, como una especie de *machine* delicada, a cuya *res extensa* se agregaba en el caso particular del hombre un *âme,* la *res cogitans*? Pues bastaba entonces un solo paso para negar, como se hacía ahora y con entera lógica, tal diferencia, superando así el dualismo cartesiano en una metafísica materialista. Si el animal es una máquina erigida y movida en virtud de meras relaciones causales, ¿por qué no también el hombre mismo? De este modo pudo postular, por ejemplo, Taine que "el vicio y la virtud son productos, como el vitriolo y el azúcar". La novela, pues (y no se olvide que en aquellos momentos ha asumido el primer rango, la dignidad superior entre los géneros literarios), tendrá por misión indagar y exponer la naturaleza humana, así entendida: la *naturaleza sin ideal.* El positivista Littré, quien todavía en 1973 anota en su diccionario como neologismo esta acepción del término, define el realismo artístico y literario como "attachement à la reproduction de la nature sans idéal" (es decir, de la Naturaleza tal cual se presenta a la visión objetiva del científico y sin que el literato la transforme de acuerdo con sus inclinaciones subjetivas). *Sans idéal*, para un comtiano, quería significar, exactamente, sin las ilusiones propias de los dos estados, teológico y metafísico, que preceden al positivo, o sea reproducción de la Naturaleza según la ciencia la conoce.

No es otra—reducida a lo más elemental—la teoría literaria del realismo, o llámesele naturalismo, que prevaleció en Francia desde 1840 hasta, aproximadamente 1890, y que irradió desde allí sobre el campo de las letras españolas. Muy interesante sería apurar, en la medida de lo posible, la intensidad, caminos y efectos de tal irradiación. En su momento, el positivismo fue más, mucho más, que una doctrina filosófica entre otras; constituyó una visión del mundo coherente y hondamente arraigada en la conciencia de la burguesía culta; y hasta una verdadera fe, con Templos de la Humanidad o sin ellos; por tanto, una manera de entender la vida que, a no dudarlo, debió de filtrarse en el ánimo, no ya de sus adeptos y creyentes, sino también de muchos otros que la recibirían, sin darse cuenta o aun en contra de sus convicciones expresas, por obra de esa especie de ósmosis que favorece las vigencias culturales de una época.

El naturalismo de Galdós

En cuanto a la impregnación comtiana de Galdós, ha sido un mérito indisputable de J. Casalduero el de haberla evidenciado—y medido—mediante su análisis de la obra galdosiana. A este respecto, el estudio que dedica a *Marianela* es de todo punto concluyente. Tras haber mostrado cómo esa novela (1878) está concebida para expresar en forma simbólica el tránsito desde los estados teológico y metafísico al positivo en la evolución de la humanidad, el crítico apunta a la presencia en ella del símbolo virginal, correspondiente a la última fase del pensamiento comtiano: la del *Système de politique positive instituant la religion de l'humanité.* Y todavía descubre la probabilidad de que Galdós se documentara, para ciertos aspectos de esta obra suya, en una de Taine: *De l'intelligence.* Por otra parte, la influencia naturalista sobre la creación galdosiana es evidente, de modo especial hacia 1884-1885, en novelas como *La de Bringas* y *Lo prohibido,* donde las taras hereditarias funcionan como fatalidad.

Pero, con eso y todo, sería abusivo el incluir a Galdós entre los escritores naturalistas. Su actitud frente a ese movimiento fue más bien de reticencia; las palabras que le dedicó resultan, según hemos de ver, ambiguas, reservadas. Es un hecho notorio que en el ambiente literario español las tesis radicales del naturalismo recibieron—no obstante sus fuertes repercusiones e influencia—una general repulsa. Aunque tampoco le faltaran algunos secuaces, lo cierto es que todos los escritores españoles de consideración—incluidos doña Emilia Pardo Bazán y Leopoldo Alas—rechazaron la posición teórica de Zola; y eso, sin perjuicio de que sus novelas fueran buscadas como una sensación, leídas con avidez y justamente apreciadas, no sólo por el público culto, sino por esos profesionales mismos. El traductor francés de *La cuestión palpitante,* Albert Savine, advertía en su prólogo, fechado en 1886, refiriéndose a la autora, que "su naturalismo católico no puede apoyarse en las mismas bases en que descansa el de Emilio Zola"; y, en efecto, muchas páginas del libro están consagradas a impugnar la posición de principio que éste mantiene: "Si es *real* cuanto tiene existencia verdadera y efectiva —dice ahí la Pardo Bazán—, el *realismo* en el arte nos ofrece una teoría más ancha, completa y perfecta que el *naturalismo*. Comprende y abarca lo natural y lo espiritual, el cuerpo y el alma, y concilia y reduce a unidad la oposición del naturalismo y del idealismo racional"; afirmando luego como legítima la "realidad poética interior" o subjetiva. "Copista de la naturaleza exterior, a cuyo influjo atribuye las determinaciones de albedrío —agrega más adelante—, Zola pospone sistemáticamente ese orden de verdades que no están a flor de realidad, sino incrustadas, digámoslo así, en las entrañas de lo real..." Después de esto, apenas se comprenden las lamentaciones de Valera en sus *Apuntes* ante la confesión naturalista de doña Emilia, si no es porque le dolían las críticas de su propio "arte de escribir novelas" que ella formula en *La cuestión palpitante.*

Por su lado, Clarín se cuida también de puntualizar en el prólogo que redactó para la segunda edición de este libro sus disentimientos con la ortodoxia naturalista al establecer, aun contra el propio jefe de la escuela, lo que a su juicio el naturalismo *no* es: "*no es* la imitación de lo que repugna a los sentidos ... *no es* tampoco la consistente repetición de descripciones que tienen por objeto representar ante la fantasía imágenes de cosas feas, viles y miserables. Puede todo lo que hay en el mundo entrar en el trabajo literario; pero no entra nada por el mérito de la fealdad, sino por el valor real de su existencia ... *no es* solidario del positivismo, ni se limita en sus procedimientos a la observación y experimentación en el sentido abstracto, estrecho y lógicamente falso, por exclusivo", que Zola había propugnado; "*no es* el pesimismo ... no es una doctrina exclusivista cerrada ... *no es* un conjunto de recetas para escribir novelas...".

El realismo español tradicional

En suma, el consenso que, por encima de todas las discordias, se produjo en España acerca de la tal *cuestión palpitante* puede cifrarse en la creencia de que el naturalismo francés constituye un extravío, corrupción del sano realismo desarrollado primero por los escritores españoles, en que consistiría la buena doctrina literaria.

El propio Galdós, en el prólogo que había escrito para la novela de Pereda, *El sabor de la tierruca*, en abril de 1882, dice muy expresamente de ese gran amigo suyo, cuyas ideas reaccionarias en política llegaban a lo extravagante, que "como escritor, es el hombre más revolucionario que hay entre nosotros", agregando a manera de resumen de sus razonamientos:

Por esto, por sus felicísimos atrevimientos en la pintura de lo natural, es preciso declararlo portaestandarte del realismo literario en España. Hizo prodigios cuando aún no habían dado señales de existencia otras maneras de realismo, exóticas, que ni son exclusivo don de un escritor propagandista, ni ofrecen, bien miradas, novedad entre nosotros, no sólo por el ejemplo de Pereda, sino por las inmensas riquezas de este género que nos ofrece la literatura picaresca.

Andando el tiempo, en el prólogo que en 1901 redactó para la tercera edición de *La regenta,* de Clarín, abunda en la misma idea:

Escribió Alas su obra—dice—en tiempos no lejanos, cuando andábamos en aquella procesión del naturalismo... A muchos imponía miedo el tal naturalismo—añade—, creyéndolo portador de todas las fealdades sociales y humanas; en su mano veían un gran plumero con el cual se proponía limpiar el techo de ideales,

a los que consideraba telarañas; y la gente creía que el nuevo sistema venía a introducir, con peligro para el arte, el diccionario de la lengua desvergonzada; pero...

luego se vio que no era peligroso ni sistema, ni siquiera novedad, pues todo lo esencial del naturalismo lo teníamos en casa desde los tiempos remotos, y antiguos y modernos conocían la soberana ley de ajustar las ficciones del arte a la realidad de la naturaleza y del alma, representando cosas y personas, caracteres y lugares, como Dios los ha hecho.

En esta mirada retrospectiva, Galdós ha perdido ya la animosidad que le hiciera calificar de "escritor propagandista" a Zola, y parece aprobar el propósito naturalista, al mismo tiempo que le resta importancia histórica frente a la tradición literaria española: "El naturalismo nos era familiar a los españoles en el reino de la novela", afirma; de modo que la nueva teoría es repatriación de una vieja idea; en los días mismos de esta repatriación tan trompeteada, la pintura fiel de la vida era practicada en España por Pereda y otros, y lo había sido antes por los escritores de costumbres ... Recibimos, pues, con mermas y adiciones ... la mercadería que habíamos exportado—resume; y agrega—: nuestro arte de la naturalidad ... responde mejor que el francés a la verdad humana.

Habría, por consiguiente, un *realismo* literario español, anterior a las doctrinas del realismo francés e independiente de ellas. Pero he aquí que Champfleury, campeón de este último, había advertido también, para defenderlo, que "le réalisme a existé de tout temps"; lo cual, de ser cierto, implicaría una tendencia literaria básica, sobre la cual habría venido a insistir con especial determinación una cierta escuela en un momento dado de la historia de las letras francesas. En tal caso, ¿qué especie de realismo sería éste, que, habiendo existido en todos los tiempos, reivindicaran los escritores españoles en la segunda mitad del siglo XIX (es decir, en plena vigencia del positivismo y bajo el impacto de las tesis naturalistas) como una tradición nacional?

El concepto galdosiano de realismo

"La soberana ley de ajustar las ficciones del arte a la realidad de la Naturaleza y del alma, representando cosas y personas, caracteres y lugares, como Dios los ha hecho", proclama Galdós. *Como Dios los ha hecho*: esta frase nos brinda una muestra excelente de la doctrina filosóficamente ingenua del realismo artístico, al que no le preocupa averiguar, ni siquiera se plantea, la cuestión de *cómo* ha hecho Dios las cosas, dándola más bien por resuelta de antemano. Por supuesto, no hay que exigir a un novelista—como tampoco a un pintor o escultor—explicaciones terminantes sobre los problemas filosóficos implícitos en su creación. El artista crea, y se expresa a través de la técnica del arte en que es maestro, aunque tampoco esté excluido, ni mucho menos, que, al propio tiempo, domine el campo de su actividad desde el ángulo de la especulación intelectual. Pero si no lo hace, o lo hace en medida deficiente, al crítico toca esclarecer por caminos indirectos cuáles son las concepciones a que ha obedecido en su trabajo.

El primer paso en la averiguación de lo que Galdós entiende por realismo consistirá en recoger, interpretar y conectar entre sí las indicaciones que esos prólogos y otras declaraciones suyas contienen, para luego escrutar la manera como lo aplica a su obra literaria.

En el citado prólogo a *La regenta*, dice Galdós que su autor la escribió

> cuando andábamos en aquella procesión del naturalismo, marchando hacia el templo del arte con menos pompa retórica de la que antes se usaba, abandonadas las vestiduras caballerescas, y haciendo gala de la ropa usada en los actos comunes de la vida.

Es evidente que, con toda la leve ironía que esas frases rezuman, aprueba Galdós las prácticas enunciadas, programa elemental del realismo literario y, sobre todo, pictórico francés, tal cual se lo encuentra cumplido, por ejemplo, en los cuadros de un Courbet: repudio de la guardarropía romántica, del asunto histórico tanto como de los temas mitológicos del neoclasicismo, a favor de la *realidad* cotidiana, y poda de las convenciones del lenguaje literario. Él mismo se incluye por el plural *andábamos* en la procesión del naturalismo, como, por otra parte, alude a su propia obra de novelista cuando afirma que "la pintura fiel de la vida era practicada en España por Pereda y *otros*".

Al agregar que el tal naturalismo imponía miedo a muchos, "creyéndolo portador de todas las fealdades sociales y humanas", coincide con una de las notas del realismo espurio, o de las definiciones negativas, propuestas por Clarín; esa predilección por los aspectos más sórdidos, brutales y repulsivos de la realidad, acentuando en ella lo ingrato y omitiendo lo noble, que caracterizaba, según la opinión vulgar, a la nueva escuela francesa. Pero si Clarín puntualiza que todo lo que hay en el mundo puede entrar en el trabajo literario, no por méritos de fealdad, sino de mera existencia (y así, admite por la ventana lo que acaba de expulsar por la puerta), Galdós, después de postular que el realismo tradicional español "responde mejor a la verdad humana", lo cifra en el género picaresco y en un autor, el del *Buscón*, donde semejantes aspectos no ya preponderan, sino que se acumulan hasta la náusea. Sin embargo, advierte en seguida que "las crudezas descriptivas pierden toda repugnancia bajo la máscara burlesca empleada por Quevedo". Y esta salvedad nos proporciona una clave para entender el punto de disentimiento entre Galdós y el naturalismo preconizado por Zola. Pues la máscara burlesca interpone una instancia espiritual, lo significativo, el juicio de valor, en la percepción de la realidad cruda, en lugar de aquel enfoque *objetivo*, científico, que el naturalismo ortodoxo reclama. Por eso mismo sostiene Galdós que "nuestro arte de la naturalidad, con su feliz concierto entre lo serio y lo cómico, responde mejor que el francés a la verdad *humana*"; por eso mismo habla de "la realidad de la naturaleza y *del alma*", conjunción copulativa que tácitamente rechaza el monismo materialista zolesco.

Pero entonces regresamos al punto de partida. ¿Qué es la realidad? ¿Cómo ha hecho Dios, si tal es el caso y no se trata de una manera de hablar, las cosas y personas, caracteres y lugares?

Realismo y experiencias de signo negativo

Sin duda alguna, el rasgo por el que con más frecuencia y mayor unanimidad se caracteriza al realismo—y se lo execra—es su gusto por el empleo (que en los naturalistas llega a hacerse sistemático y exclusivo) de aquellos materiales de experiencia pertenecientes a las categorías negativas de lo innoble, de lo cruel, de lo torpe, etcétera; o sea, en frases de Clarín: "la imitación de lo que repugna a los sentidos", "la consistente repetición de descripciones que tienen por objeto representar ante la fantasía imágenes de cosas feas, viles y miserables".

Y aunque Galdós, contraponiendo al naturalismo francés las virtudes de la tradición realista española, nos advierte que "las crudezas descriptivas pierden toda repugnancia bajo la máscara burlesca empleada por Quevedo", es Quevedo precisamente, y es el género picaresco, tan pródigo en tales crudezas, lo que en concreto nos propone—ya veremos si con razón o no—como paradigma del supuesto realismo español tradicional. Galdós, tanto como Clarín, reconocen, pues, tácitamente que el realismo consiste, ante todo, en aceptar dentro de la obra literaria crudezas de toda laya, si bien para éste no "por el mérito de la fealdad, sino por el valor real de su existencia", y para aquél bajo "máscara burlesca".

Ahora bien: la utilización de elementos física o moralmente repulsivos no parecería en sí misma suficiente para producir la impresión de realismo en arte. Ello dependerá, a lo sumo, de la intención *estética* con que se los maneje. Y para tratar de mostrarlo convendrá quizá que comparemos el distinto tratamiento aplicado a una misma realidad asquerosa en dos famosas novelas de muy diferente índole. ¿Quién no recuerda el pasaje de los huevos empollados que Mateo Alemán hace servir en tortilla a su pícaro en el libro I, capítulo III, de la primera parte de *Guzmán de Alfarache*?

Pedí de comer; dijéronme que no había sino sólo huevos. No tan malo si lo fueran: que la bellaca de la ventera, con el mucho calor o que la zorra le matase la gallina, se quedaron empollados, y por no perderlo todo, los iba encajando con otros buenos ... Luego me sacó en un plato una tortilla de huevos, que pudiera llamarse mejor emplasto de huevos. Ellos, el pan, jarro, agua, salero, sal, manteles y la huéspeda, todo era de lo mismo. Halléle bozal, el estómago apurado, las tripas de posta, que se daban unas con otras de vacías. Comí, como el puerco la bellota, todo a hecho; aunque verdaderamente sentía crujir entre los dientes los tiernecillos huesos de los sin ventura pollos, que era hacerme como cosquillas en las encías.

Este episodio se tiene por uno de los más brutales que registra el pretendido realismo literario español. Sin embargo, imprevisiblemente, vamos a hallar cosa análoga en la obra de Marcel Proust. A propósito de un dicho de M. de Bréauté (que "dans la province de Canton, en Chine, on ne peut pas vous offrir un plus fin régal que des oeufs d'ortolan complètement pourris" [1]), la duquesa de Guermantes hace uno de sus alardes de ingenio:

Je trouve charmant un pays où on veut être sûr que votre crémier vous vende des oeufs bien pourris, des oeufs de l'année de la comète. Je me vois d'ici y trempant ma mouillette beurré. Je dois dire que cela arrive chez la tante Madeleine (Mme. de Villaparisis) qu'on serve des choses en putréfaction, même des oeufs (et comme Mme. d'Arpajon se récriait): Mais voyons, Phili, vous le savez aussi bien que moi. Le poussin est déjà dans l'oeuf. Je ne sais même pas comment ils ont la sagesse de s'y tenir. Ce n'est pas une omelette, c'est un poulailler, mais au moins ce n'est pas indiqué sur le menu [2] [*Du côté de Guermantes,* II, cap. II].

[1] En la provincia de Cantón, en China, no le pueden ofrecer a uno regalo más delicado que huevos caseros completamente podridos.

[2] Yo encuentro encantador un país donde uno quiere estar seguro de que su recoveco le venda huevos bien podridos, huevos del año de la nana. Ya me veo yo mojando en ellos mi pan con mantequilla. Debo decir que eso es lo que ocurre en casa de la tía Magdalena (la señora de Villaparisis), que sirven cosas en estado de putrefacción, incluso huevos (y como la señora de Arpajon protestara escandaliza-

Páginas antes, ha dicho la misma Oriane a su marido:

Mais, Basin, si vous voulez me dire que j'ai connu M. de Bornier, naturellement, il est même venu plusieurs fois pour me voir, mais je n'ai jamais pu me résoudre à l'inviter parce que j'aurais été obligée chaque fois de faire désinfecter au formol. Quant à ce dîner, je ne me le rappelle que trop bien ... Le charmant Hoyos avait cru me faire plaisir en flanquant sur une chaise à côté de moi cet académicien empesté. Je croyais avoir pour voisin un escadron de gendarmes. J'ai été obligée de me boucher le nez comme je pouvais pendant tout le dîner, je n'ai osé respirer qu'au gruyère![3]

Esto, bien se ve, nada tiene que envidiar al "mal resuello" de la ventera. Proust no se queda atrás respecto de Alemán en su empleo literario de materiales de experiencia desagradables; y si en ello consistiera el realismo, según la gente piensa, tan realista sería el uno como el otro.

Ni el uno ni el otro lo son, en verdad. Las intenciones que se cumplen y cifran en *À la recherche du temps perdu* son—huelga el subrayarlo—totalmente ajenas a

---

da): Pero vamos a ver, Phili, usted lo sabe igual que yo. El pollito está ya en el huevo. Ni siquiera sé cómo tienen la prudencia de aguantarse ahí quietos. No es una tortilla, es un pollerío; pero por lo menos no se indica en el menú.

[3] Pero, Basin, si quieres decirme que he conocido al señor de Bornier, claro que sí; incluso ha venido varias veces a verme; pero yo no he podido decidirme nunca a invitarlo, porque me hubiera visto obligada cada vez a hacer desinfectar con formol. En cuanto a esa comida, me acuerdo de ella, por supuesto, demasiado bien ... El simpático Hoyos creyó darme un gusto encajando en una silla al lado mío a ese académico apestoso. Me parecía tener por vecino a un escuadrón de gendarmes. Tuve que taparme la nariz como podía durante toda la cena, y sólo al llegar el queso me atreví a respirar.

cualquier propósito de *retratar* realidades; y esas crudezas recién reproducidas, igual que otras tantas de diferente orden, son meros elementos en la recuperación del pasado o búsqueda del tiempo perdido. A veces, como en varias escenas o situaciones de homosexualismo, lo sórdido se muestra con una mueca dolorosa; aquí, en estas asquerosas eutrapelias de Oriane, el tono, en cambio, corresponde a la maliciosa y divertida exageración de inmundicias, cuyo tratamiento libre debe realzar el buen tono de su *monde*.

También en el episodio citado de Alemán percibe el lector una exageración intencionada; pero la intención es ahí muy distinta. Y, desde luego, tampoco tiene que ver nada con las del realismo naturalista. Atribuirle éstas, o semejantes, es inconsiderado anacronismo. Le pertenecen más bien las de un rechazo del mundo, cuya negación valorativa adquiere, dentro del cuadro del pesimismo ascético, los extremos de la forma barroca. Aquel alimento repugnante que levanta el estómago del imberbe Guzmán no es sino manifestación primaria del mundo; y su náusea está mucho más cerca—sin que sea lícito, a su vez, llevar demasiado adelante el parangón—de la *nausée* existencialista que de la objetividad *científica* perseguida por el naturalismo.

Por supuesto, éste, como toda corriente literaria, cualesquiera sean sus bases doctrinales, envuelve y trata de desarrollar una estética, a la que deberá la singularidad de su fisonomía artística. Cuestión interesante, pero que no sería de este lugar, es la de saber con un poco de rigor hasta qué punto un escritor como Zola, de quien no puede dudarse la grandeza, encontró un apoyo y hasta qué punto un obstáculo en sus propias convicciones teóricas. Entre los dos pasajes citados de Proust encontramos—y supongo que no por casualidad—el siguiente juicio que, bajo la forma de *boutade*, profiere Oriane: "Mais Zola n'est pas un réaliste, madame! C'est un poète!" Defendiéndolo así:

Que Votre Altesse remarque comme il grandit tout ce qu'il touche. Vous me direz qu'il ne touche justement qu'à ce qui... porte bonheur! Mais il en fait quelque chose d'immense; il a le fumier épique! C'est l'Homère de la vidange! Il n'a pas assez de majuscules pour écrire le mot de Cambronne.[4]

En dos palabras ligeras, destinadas a *épater*, no *le bourgeois*, sino a una Alteza real, el personaje proustiano caracteriza inmejorablemente la estética implícita del naturalismo, cuyo modo peculiar de estilización consiste, por cierto, en su sistemática insistencia sobre los aspectos ingratos de la realidad; es decir, en eso mismo que tanto se le ha reprochado como contrario al arte.

Aunque crea, atento a los datos estrictos de la realidad, estar haciendo una especie de sociología con desprecio de la *literatura*, lo que en efecto produce el novelista del naturalismo es una iluminación del aspecto negativo de la condición humana mediante el recurso de seleccionar y acumular deliberadamente los detalles más

[4] Observe Su Alteza cómo agranda todo cuanto toca. Me dirá que no toca precisamente sino a lo que... trae suerte. Pero hace de ello algo inmenso; su estiércol es épico. Es el Homero de la inmundicia. No tiene mayúsculas bastantes para escribir la palabra de Cambronne.

penosos e ingratos, para expresar así una determinada concepción del mundo y de la vida: la que subyace en la metafísica materialista.

A otras distintas y aun opuestas concepciones puede servir el mismo procedimiento: ya lo hemos visto, de pasada, aplicado a sustanciar en la novela picaresca el desprecio ascético del mundo y el desengaño barroco. Pero si lo aislamos de las diversas perspectivas culturales en que se nos aparece históricamente dado, para considerarlo en sí mismo y por su pura eficacia estética, descubriremos en él una línea permanente de estilización de la experiencia entre las varias posibles, una persistente dirección creativa que se apoya en un cierto grupo de emociones y las pone a contribución para los fines del arte. Ejemplos más recientes de ella—dentro de la propia literatura española—los tenemos en aquel modo de truculencia grotesca a que debe Valle-Inclán sus mejores logros; en la actitud que Juan Ramón Jiménez denostó con el mote de *feísmo*; en el actual *tremendismo* postbarojiano...

Tomada así (¿será acaso éste el realismo que *a existé de tout temps*?), esa tendencia fundamental de la estilización artística constituye un hilo donde pueden engarzarse, pese a sus radicales disparidades, la novela *realista* de la tradición española y la naturalista del siglo XIX.

Pero nos falta saber si acaso Galdós participa también en ella.

Un género literario, la novela picaresca, y un determinado autor, Quevedo, constituyen para Galdós—dicho queda—el ejemplo y paradigma del realismo español tradicional, al que él mismo se considera adscrito. Si extraemos un pasaje de la novela que ese autor escribió dentro de aquel género, y lo confrontamos con otro sacado de una novela del propio Galdós donde se presenta una situación, o *realidad*, análoga, la comparación entre ambos textos puede servirnos de bastante ayuda en la elucidación del problema que nos ocupa; a saber: en qué consiste el realismo literario, y si este concepto se encuentra bien fundado.

Se lee en el libro II, capítulo VI, de *La vida del Buscón*:

Tenemos de memoria, para lo que toca a vestirnos, toda la ropería vieja; y como en otras partes hay hora señalada para oración, la tenemos nosotros para remendarnos. Son de ver a las mañanas las diversidades de cosas que sanamos: que, como tenemos por enemigo declarado al sol, por cuanto nos descubre los remiendos, puntadas y trapos, nos ponemos abiertas las piernas a su rayo, y en la sombra del suelo vemos las que hacen los andrajos e hilachas de las entrepiernas, y con unas tijeras hacemos las barbas a las calzas. Y como siempre se gastan tanto las entrepiernas, es de ver cómo quitamos cuchilladas de atrás para poblar lo de delante; y solemos traer la trasera tan pacífica por falta de cuchilladas, que se queda en las puras bayetas. Sábelo sola la capa, y guardámonos de días de aire y de subir por escaleras claras o a caballo. Estudiamos posturas contra la luz, pues en día claro andamos con las piernas muy juntas y hacemos las reverencias con solos los tobillos, porque si se abren las rodillas, se verá el ventanaje. No hay cosa en todos nuestros cuerpos que no haya sido otra cosa y no tenga historia. *Verbigratia*: bien se ve vuesa merced —dijo—esta ropilla; pues primero fue gregüescos, nieta de una capa y biznieta de un capuz que fue en su principio, y ahora espera salir para soletas y otras muchas cosas.

Etcétera. En el capítulo XVI de *Misericordia* encontramos los siguientes párrafos:

Del arte exquisito para conservar la ropa no hablemos. Nadie como él sabía encontrar en excéntricos portales sastres económicos, que por poquísimo dinero *volvían* una pieza; nadie como él sabía tratar con mimo las prendas de uso perenne para que desafiaran los años, conservándose en los puros hilos; nadie como él sabía emplear la bencina para limpieza de mugres, planchar arrugas con la mano, estirar lo encogido y enmendar rodilleras. Lo que le duraba un sombrero de copa no es para dicho ... Las demás prendas de ropa, si al sombrero igualaban en longevidad, no podían emular con él en el disimulo de años de servicio, porque con tantas vueltas y transformaciones y tantos recorridos de aguja y pases de plancha, ya no eran sino sombra de lo que fueron. Un gabancillo de verano, clarucho, usaba don Frasquito en todo tiempo; era su prenda menos inveterada, y le servía para ocultar, cerrado hasta el cuello, todo lo demás que llevaba, menos la mitad de los pantalones. Lo que se escondía debajo de la tal prenda, sólo Dios y Ponte lo sabían... Luego, respecto de su alojamiento, la dueña de una casa de dormitorios por tres reales le daba cama de a peseta, y en obsequio a la excepcional decencia del parroquiano, por sólo un real de añadidura le dejaba tener su baúl en un cuartucho interior, donde, además, le permitía estar una hora todas las mañanas, arreglándose la ropa y acicalándose con sus lavatorios, cosméticos y manos de tinte. Entraba como un cadáver y salía dsconocido, limpio, oloroso y reluciente de hermosura.

La comparación de estos dos pasajes muestra a primera vista una comunidad de tema: se trata de la disimulación de la miseria mediante mañas aplicadas a la vestimenta. Y no hay duda de que ese tema responde a condiciones sociales repetidas a lo largo de siglos hasta constituir una presencia permanente en España. Pero, con eso y todo, es evidente también que el parentesco entre ambos pasajes y los personajes respectivos no se reduce al mero hecho de trasuntar uno y otro, en épocas distintas, una misma *realidad* básica, sino que están ligados, además, por una común tradición literaria, de modo que el *protocursi* de Galdós—quien este título confirió a su don Frasquito Ponte—implica el antecedente de los caballeros chanflones quevedescos: es la versión siglo XIX del hidalgo con más pretensiones que recursos, cuya primera aparición ilustre en nuestras letras tiene lugar con el escudero del tratado tercero del *Lazarillo de Tormes.* De una vez por todas quedó establecido ahí el tipo del hidalgo impecune y altivo, cuyas tribulaciones indumentarias dan materia a Quevedo tanto como a Galdós para los pasajes aducidos.

Encontramos, pues, una *situación* social muy ostensible y prolongada en la vida española; pero encontramos también un tipo literario constituido, que sucesivos autores reelaboran en vista de sus particulares experiencias de dicha situación; la cual viene a modularse así, no sólo por las variables circunstancias de cada época, sino por la personal sensibilidad de cada escritor. Sin perjuicio de su originalidad en cuanto personaje muy del Madrid de la Restauración, el don Frasquito Ponte galdosiano pertenece a la misma estirpe literaria que el quevedesco don Toribio Rodríguez Vallejo Gómez de Ampuero y Jordán.

Quiero señalar con esto que la aproximación intentada no tiene por fundamento único el que ambos personajes *reflejen* la misma situación social básica; antes bien, que tal *realidad* se encuentra percibida y captada mediante un común patrón literario (es decir, que los autores han manipulado no una *realidad* bruta, informe, indistinta, sino, al contrario, una realidad literariamente acuñada).

La aniquilación quevedesca

Veamos ahora, continuando nuestro análisis, cómo reelabora cada uno de ellos, de acuerdo con el fondo cultural de su época y con su propio genio individual, aquel tipo literario; cómo trata en su taller de novelista los materiales de su experiencia literario-visual; qué hace, en fin, de la *realidad* a la cual se enfrenta para darle nueva forma.

Las peripecias de don Toribio y demás caballeros chanflones del *Buscón* pertenecen al orden de las "cosas feas, viles y miserables", de "lo que repugna a los sentidos", y que las novelas picarescas—como el naturalismo después, aunque con intención muy diferente—acumulan de modo sistemáttico. En este contexto debe colocarse el párrafo extractado; hay que interpretarlo dentro de la línea de negación ascético-barroca del mundo peculiar de la picaresca contemporánea y, por excelencia, del *Guzmán de Alfarache*, de Mateo Alemán. Pero aun dentro de esta línea genérica, la sensibilidad personal de Quevedo, su visión del mundo, su penetración metafísica, le hace rebasar el marco cultural de las ideas, creencias y actitudes en que él mismo participaba para, apoyado en ellas, proponernos o, mejor dicho, operar ante nosotros la destrucción total de la realidad, negando de raíz el valor de la experiencia sensible. "¡Qué diferentes son las cosas del mundo de como las vemos! Desde hoy perderán conmigo todo el crédito mis ojos, y nada creeré menos de lo que viere", se dice en *El mundo por de dentro.* Las apariencias son inconsistentes; apenas se las toca, se desbaratan en astillas, en guiñapos, en polvo. Sin necesidad de otro agente, el mero toque del tiempo basta a destruirlo todo; pero el tiempo, a su vez, es algo que se niega a sí mismo. Si las mujeres que aparecen en *La hora de todos* pueden gritar:

No hay tal; no he cumplido quince. ¡Jesús!, ¿quién tal dice? Aún no he entrado en dieciocho; en trece estoy; ayer nací; no tengo ningún año; miente el tiempo,

el autor mismo nos enseñará con grave melancolía que

Ayer se fue; mañana no ha llegado;
hoy se está yendo sin parar un punto;
soy un Fue, y un Será, y un Es cansado,

y que

> *¡Fue sueño ayer; mañana será tierra!*
> *¡Poco antes, nada; y poco después, humo!*

Nunca en ningún otro escritor alcanzó el desengaño barroco profundidades tan abismáticas.

En cuanto al trozo que hemos transcrito antes, aclara bien—aun tomado fuera de contexto y en sus propios términos—uno de los procedimientos quevedescos de destrucción del mundo. Por lo pronto, se repite en él la degradación de lo sagrado a lo vil, tan usada por Quevedo siempre: "... como en otras partes hay hora señalada para oración, la tenemos nosotros para remendarnos". En seguida nos presenta la postura ridícula en contraste con la pretendida prestancia caballeresca; el "hacer las barbas a las calzas" que rebaja la dignidad del rostro a la entrepierna, la dignidad de las *barbas honradas* a hilachas de los calzones; las cuchilladas (ausentes de la trasera) se confunden con las de belicosos espadachines; los prestigios de la genealogía se reducen a los harapos; las reverencias caballerescas, a grotescos movimientos trabados... No es ya que se traten de disimular tristes o bajas apariencias, como en el caso de don Frasquito Ponte (o del escudero del *Lazarillo*), en virtud de una íntima exigencia de decoro: lo que hay aquí es un engaño malicioso, aunque deleznable (y la realidad total, el mundo, es para Quevedo malicioso y deleznable engaño), que tan pronto como se desmonta, arruina, arrastrándolo consigo en su despeñadero hacia la nada, cuando suele pasar por valioso, estimable y positivo.

Si se le aplica a Quevedo el dictado de realista por su deliberado acopio de elementos innobles, en ningún modo podría decirse, en cambio, que su arte literario procure ofrecer un reflejo de la *realidad*; antes está destinado a minar su consistencia, a aniquilarla, a negarle entidad y ser. Y esa *máscara grotesca* que, según Galdós, quita toda repugnancia a sus crudezas descriptivas, es precisamente el más eficaz instrumento de que se vale para desintegrar las apariencias sensibles del mundo en el desengaño definitivo. ¿Cómo, pues, calificar de realista a Quevedo?

Contraste de Galdós con Quevedo

Ocurre, no obstante, que Galdós lo veía desde la perspectiva de su propia época, y quería entenderlo en función de las teorías del realismo entonces en boga. El sarcasmo mediante cuyos ácidos disolventes asalta el satírico la falsa consistencia de la realidad, en contraste con la impasible objetividad *científica* del naturalismo, se le antojaba a él máscara grotesca destinada a hacer comportables las crudezas de la tal realidad. Pero, por su parte, Galdós eludió siempre en su obra de novelista el empleo de crudezas semejantes, que sin duda su sensibilidad rechazaba.

El párrafo extractado de *Misericordia* presenta, sí, como el del *Buscón,* la figura del hidalgo, ahora señorito, empeñado en ocultar su miseria bajo una fachada decente; pero don Frasquito Ponte no se contorsiona en actitudes bufas, ni aparece iluminado por luces agrias, sino más bien bajo la suave, templada, piadosa y hasta tierna simpatía con que el autor lo contempla; pues aunque éste está reelaborando un tipo ya tradicional, y cuenta para ello, como es obvio, con el precedente quevedesco, su tónica emocional se acerca más al modelo primitivo: el escudero del *Lazarillo de Tormes*, víctima de su sentimiento de la dignidad o, si se prefiere, de sus prejuicios. Pues si a Lázaro sólo descontentaba de su amo el "que—como dice—quisiera yo que tuviera menos presunción, mas que abajara un poco su fantasía con lo mucho que subía su necesidad", también a la criada Benina la impacienta en "el caballero Ponte, que así le llamaban en Andalucía", "ese pobre hambriento que no confiesa su hambre por la vergüenza que le da", aquello que ha ponderado el autor como "su delicadeza innata y su amor propio". (Dicho sea de paso: la protagonista de *Misericordia*, igual que Lázaro, pide limosna para sustentar a sus desvalidos y orgullosos amos; una coincidencia temática que me interesa dejar apuntada por su singularidad: no recuerdo otro caso, ni entro a apurar la medida en que Galdós haya podido tener en cuenta este antecedente literario para la magnífica orquestación de los sentimientos misericordiosos que realiza en su novela.)

Por lo que se refiere a las cuitas vestimentarias del *protocursi*, que tanto de su inspiración deben, en el aspecto descriptivo, a Quevedo, están tratadas, en cuanto a la actitud intelectual y sentimental, con el espíritu más opuesto al de su befa. Existe, sin duda, hipérbole: las telas se conservan "en los puros hilos"; las prendas de ropa "ya no eran sino sombra de lo que fueron"... Pero son hipérboles muy moderadas, que no sobrepasan la exageración usual en el lenguaje cotidiano. Y cuando quieren extremarse, el escritor corrige su exceso con un matiz de ironía benévola: "Entraba como un cadáver y salía... reluciente de hermosura", o tal pensaba él, se nos sugiere.

Nada hay aquí que se parezca a aquella fuga vertiginosa de las apariencias, en que la realidad se esfuma; sino que, por el contrario, a través de esas apariencias quiere entregársenos la realidad pura del pobre iluso, a quien el autor contempla con la más tierna y simpática piedad. En una clave muy diferente a la del sarcasmo quevedesco, nos parece más bien escuchar en ese pasaje un eco de la escena donde, a solas en su cámara del palacio ducal, intenta zurcir sus medias don Quijote.

Lo cual nos llevaría hacia un nuevo problema: el de la aproximación de Galdós a Cervantes y la cuestión del famoso *realismo* cervantino.

Realismo y costumbrismo

Cuando se proclama *realista* a Cervantes, suele pensarse en aquellos de sus escritos que nos recuerdan lo que hoy llamamos costumbrismo. El mismo Galdós identifica el realismo como la pintura de costumbres, al escribir a propósito del naturalismo, en el citado prólogo a *La regenta*, que la nueva teoría es "repatriación de una vieja idea; en los días mismos de esta repatriación tan trompeteada, *la pintura fiel de la vida* era practicada en España por Pereda y otros, y lo había sido antes *por los escritores de costumbres*". De cómo la practicaba Pereda, nos informa con mayor amplitud en el discurso que redactó para presentarle a la Real Academia Española en 1897. Dice así: "Pereda acometió la difícil tarea de expresar con absoluta verdad los tipos populares, no apartándose del modelo que ante sus ojos le ofrecía constantemente la naturaleza, y este procedimiento le llevó pronto a eclipsar a cuantos le habían precedido. El sistema de escrupulosa sujeción a las inflexiones, contornos y luces que da el natural, sistema empleado por Velázquez con tenaz perseverancia, que tiene algo de fe religiosa, fue empleado por Pereda, primero en sus cuadritos, después en las grandes telas de su labor novelesca". Es curioso observar cómo, por efecto del mismo espejismo que le hacía considerar realista a Quevedo, relaciona ahora el moderno realismo costumbrista de un Pereda con el arte del gran pintor contemporáneo de aquél. (También la Pardo Bazán aseveraba, en *La cuestión palpitante*, que "el Gran Tacaño es a manera de pintura, de la mejor época de la escuela española; Velázquez, sin duda, fue quien destacó del lienzo la figura pergaminosa y enjuta del Dómine Cabra". Y también ella atribuye los orígenes del moderno realismo español a Fernán Caballero, y a los autores de las *Escenas matritenses* y el de *Ayer, hoy y mañana*, "sin olvidar a Fígaro en sus artículos de costumbres".)

Así, el realismo, que por una parte se hace consistir

en la utilización sistemática de materiales crudos o desagradables—en cuya línea de estilización estética participan muy distintas orientaciones literarias—, por otra parte se identifica con la pintura de costumbres, que, a su vez, constituye un género particular dentro de una tendencia que es permanente en la historia literaria. El costumbrismo como tal representa, en efecto, una manifestación del espíritu romántico y pertenece a su ámbito. Resultado del descubrimiento valorativo que el romanticismo hace del *pueblo*, se complace en lo típico, espontáneo, *natural* y peculiar de las costumbres, hallando en describirlas, o *pintarlas* (pues su interés se dirige hacia lo pintoresco), la completa satisfacción de sus objetivos estéticos. Por eso, por la cortedad de su meta, por su escasa trascendencia espiritual, resulta ser el costumbrismo lo que se llama un género menor.

A lo largo de la historia universal, sin embargo, el empleo de las costumbres como *material* para la creación literaria ha estado ligado casi siempre a intenciones moralizadoras. La sátira, seria o festiva, se ha dirigido sobre todo a castigar *mores* indeseables, presentándolas significativamente en una organización retórica adecuada a su propósito.

En términos muy generales puede decirse que el campo de las costumbres en literatura es la comedia, ocupada de lo común (a diferencia de la tragedia, cuyo tema es el destino individual), aunque, en los casos excelentes, sea capaz aquélla de ofrecernos, a través del tejido de costumbres y caracteres, una visión profunda de la naturaleza humana.

Que el pretendido realismo cervantino proviene de la comedia latina, y en particular de la tragicomedia de Calisto y Melibea, es por demás evidente. Pero también parece inevitable que obras como *Rinconete y Cortadillo* se interpreten retrospectivamente, de acuerdo con la categoría romántica del costumbrismo, a la manera de lo que se llamaría deliciosos cuadros de género. Inevitable error; comprensible, pero también inadmisible. La actitud espiritual a que responde el costumbrismo tiene, según quedó antes indicado, una fecha bastante precisa en la historia de la cultura: está ligada a la concepción del *Volksgeist*, a la idea de pueblo como fuente de toda creación original, al gusto por el folklore, y se dirige hacia lo histórico-concreto (por contraste con las tendencias universalistas y abstractas reprochadas al racionalismo) para buscar ahí los valores estéticos superficiales de lo pintoresco. Mucho habría que forzar las cosas para atribuir a Cervantes una semejante actitud, aunque, en todo caso, la novela propiamente dicha (la novela moderna, que él inaugura) necesita desenvolverse dentro del marco de las costumbres si ha de cumplir su propósito de ofrecernos una percepción del sentido de la vida humana, ya que ésta se encuentra dada, siempre, en el seno de un contexto histórico. No será, pues, extraño que muchas veces, desde el momento de su apogeo en el siglo XIX, la veamos demorarse, ya con disgusto satírico, ya con regusto *costumbrista*, en los aspectos impersonales, sociales, comunes de ese material consuetudinario, aspectos que prestan su fisonomía general a épocas y países en cuyo ambiente ha de desenvolverse la fingida existencia de los personajes imaginados por el novelista.

Si atendemos a Galdós mismo, es por demás cierto que, al novelar, incurre con frecuencia—con demasiada frecuencia—en el regodeo costumbrista, hasta el punto de que sin el previo desarrollo de ese género durante la época romántica serían inconcebibles muchas de sus páginas. Pero es claro que, reducida a ellas y otras por el estilo, escaso valor hubiera tenido su obra, más allá del extraliterario que como documento o testimonio de su tiempo presentara.

A esta veta costumbrista de su realismo debe Galdós, precisamente, las acusaciones de vulgaridad y corto vuelo—vuelo gallináceo, se ha dicho alguna vez—que, muy injustamente en definitiva, debió de sufrir; injustamente, porque ese ingrediente no llega nunca a dar el tono, ni mucho menos agota las intenciones de su producción literaria. Eso, a pesar de que, pretendiendo ser un escritor *realista*, encuentra en el costumbrismo la marca de esa tradición española en que se consideraba a sí mismo incluido.

La "naturalidad" del lenguaje

Pero no olvidemos que, en sus esfuerzos, más bien vagos, por definir el realismo, apunta simultáneamente en varias direcciones; de modo que el "expresar con absoluta verdad los tipos populares", o "los caracteres arrancados del natural", son para él notas, entre otras, del realismo que celebra en Pereda. Pero si considera a éste revolucionario como escritor, es por

> la gran reforma que ha hecho, introduciendo el lenguaje popular en el lenguaje literario, fundiéndolos con arte y conciliando formas que nuestros retóricos más eminentes consideraban incompatibles.

Parece consistir aquí el realismo en la utilización artística del lenguaje oral dentro de la composición literaria, cuando las formas escritas se habían separado por completo del uso práctico del idioma.

Muy lejos está Galdós de caer en la ingenuidad (que a la fecha de hoy alcanza dimensiones de patochada en ciertos novelistas) de pensar que la transcripción de expresiones efectivamente oídas en labios de la gente infunde realidad a la creación literaria. Tanto en ese punto de su prólogo a *El sabor de la tierruca* como en otros lugares, insiste sobre la necesaria elaboración artística del lenguaje *natural*; y en este aspecto del naturalismo o realismo, lo que ante todo le preocupa es un problema técnico del escritor a vueltas con el idioma, instrumento de su arte. Era indispensable derrotar las convenciones reinantes en su tiempo, lo mismo en cuanto se refiere al estilo ("menos pompa retórica") que a los temas: "la ropa usada en los actos comunes de la vida", en lugar de "las vestiduras caballerescas".

La separación a que, según Galdós, se había llegado entre el lenguaje literario convencional y el lenguaje hablado; su apreciación del esfuerzo hecho por otro novelista para salvar el hiato, y hasta el tono de zumbona reticencia que asume para aludir a la escuela naturalista, nos dan a entender que, en su ánimo, la etiqueta de *realismo* servía para cubrir los diversos intentos encaminados a una renovación de las letras, sin mayor preocupación de su parte por atenerse a una doctrina coherente y firme.

Visión de la realidad en Galdós: su novelística

Sin embargo, era hombre de su tiempo y aceptaba las ideas corrientes en él. Ya hemos visto (Casalduero lo ha demostrado sin dejar lugar a dudas) que en una de sus novelas de la primera éjoca, *Marianela,* considerada por Menéndez Pelayo [5] como

> idilio trágico de una mendiga y un ciego; menos original quizá que otras cosas de Pérez Galdós, pero más poético y delicado; en el cual, por una parte, se ve el reflejo del episodio de Mignon en *Wilhelm Meister,* y por otra, aquel procedimiento antitético familiar a Victor Hugo, combinando en un tipo de mujer la fealdad de cuerpo y la hermosura de alma, el abandono y la inocencia,

lo que su autor trató de representar fue nada menos que la concepción comtiana de la evolución de la humanidad, según la ley de los tres estados. Y, por su lado, el propio Galdós nos cuenta en sus *Memorias de un desmemoriado* cómo descubrió a Balzac durante su primer

[5] Contestación al discurso de ingreso de Pérez Galdós en la Real Academia Española, febrero de 1897.

viaje a París, en 1867; esto es, cuando el joven escritor español contaba veinticuatro años:

El primer libro que compré fue un tomito de Balzac—un franco, Librairie Nouvelle. Con la lectura de aquel librito, *Eugénie Grandet,* me desayuné del gran novelista francés, y en aquel viaje a París y en los sucesivos completé la colección de ochenta y tantos tomos, que aún conservo con religiosa veneración,

escribe ya de viejo. Y es evidente (en otro pasaje confiesa que "devoró" *La Comédie humaine*) su adhesión a la preceptiva balzaquiana, enunciada en el prefacio y aplicada en los distintos volúmenes, de positivismo implícito.

En el discurso de ingreso en la Real Academia Española se encuentran sus pensamientos sobre la novela —y sobre la sociedad contemporánea—, expuestos con una modestia que no debiera ocultar su sagacidad.

Imagen de la vida es la novela—dice ahí—, y el arte de componerla estriba en reproducir los caracteres humanos, las pasiones, las debilidades, lo grande y lo pequeño, las almas y las fisonomías, todo lo espiritual y lo físico que nos constituye y nos rodea, y el lenguaje, que es la marca de la raza, y las viviendas, que son el signo de familia, y la vestidura, que diseña los últimos trazos externos de la personalidad; todo esto sin olvidar que debe existir perfecto fiel de balanza entre la exactitud y la belleza de la reproducción. Se puede tratar de la novela de dos maneras: o estudiando la imagen representada por el artista, que es lo mismo que examinar cuantas novelas enriquecen la literatura de uno y otro país, o estudiar la vida misma, de donde el artista saca las ficciones que nos instruyen y embelesan. *La sociedad presente como materia novelable* es el punto sobre el cual me propongo aventurar ante vosotros algunas opiniones.

Esas opiniones completan un bosquejo bastante certero de una situación social cuyo adecuado entendimiento aclara los propósitos de Galdós y el sentido general de su obra novelística, que quiere ser—como hemos visto—imagen de la vida, tomada en su conjunto y reproducida en su diversidad.

Las pretensiones totalizadoras de *La Comédie humaine*, y hasta la sociología zolesca, se dibujan detrás de ese propósito. ¿Y no era eso mismo lo que le hacía considerar *La regenta*, de Alas, en el prólogo citado, como "muestra feliz del naturalismo restaurado, reintegrado en la calidad y ser de su origen"? :

> Calles y personas, rincones de la catedral y del casino, ambiente de pasiones o chismes, figuras graves o ridículas, pasan de la realidad a las manos del arte, y con exactitud pasmosa se reproducen en la mente del lector,

dice ahí. De cierto personaje elogia: "bloque arrancado de la realidad"; y en otro ve: "más que un clérigo, el estado eclesiástico".

Pero no olvidemos que esta *sociología*, en el pensamiento de Galdós, no es ciencia, ni menos, especie de ciencia sustituta, sino arte (en momento alguno deja de mencionar la intervención creadora del artista en la composición de la obra literaria, su aportación); ni pasemos por alto la significativa dualidad que también establece siempre, muy significativamente, dentro del conjunto de lo real, entre materia y espíritu en desacuerdo con el consistente materialismo que presta su base intelectual a la escuela naturalista y al propio positivismo. Galdós precisa con todo cuidado:

la realidad de la naturaleza y *del alma*; combinar la verdad con la fantasía; perfecto fiel de la balanza entre la exactitud y la belleza de la reproducción; la facultad observadora, *la invención* sobria y fecunda, el culto de la verdad...

En suma: cree él que la realidad sensible está preñada de significaciones trascendentes, y que la misión del artista consiste en detectarlas y exponerlas incorporadas en su obra. Por ello debe atenerse a la representación de "cosas y personas, caracteres y lugares, como Dios los ha hecho"; esto es, con fidelidad a su naturaleza íntima, intrínseca. No habrá, pues, de extrañarnos que al ponderar en *La regenta* la muestra del naturalismo restaurado, halle "un sutil parentesco simbólico con la historia de nuestra raza" en la perdición de la protagonista: bajo la forma concisa del símbolo, la realidad ahí reproducida expresa una realidad más alta y de mayor alcance, que desde luego la trasciende. Todavía, respecto de otro personaje, nos advertirá:

Si no fuera un abuso el descubrir y revelar simbolismos en toda obra de arte, diría que Fermín de Pas es más que un clérigo: es el estado eclesiástico.

Y esta insinuación refrenada será algo que para Galdós constituye una de sus convicciones fundamentales:

que el artista, el novelista, está llamado a desentrañar el sentido profundo que la realidad encierra, dándole expresión en su obra.

Las observaciones que hace Galdós respecto de *La regenta*—una obra a la que considera ejemplo de "naturalismo restaurado"—; el simbolismo que encuentra en sus figuras, y particularmente el que interprete la de la protagonista como expresión abreviada del destino histórico de España, nos dice mucho acerca de su propio modo de entender el famoso realismo tradicional. Según suele ocurrir con las opiniones que un autor vierte a propósito de la obra de otro, acertadas o no, explican antes la suya que la ajena. Así, en este caso, sabemos cómo la trascendencia simbólica de los personajes fingidos es un rasgo habitual en las novelas de Galdós; y en sus *Episodios nacionales*, vida individual e historia de España, llegan a identificarse. Tan importante resulta en la producción de nuestro novelista la identificación simbólica, que—procurándola en niveles diversos—no vacila ante recursos que literariamente pueden calificarse de triviales o baratos, como el de bautizar a sus personajes con nombres, o atribuirles apellidos, que de un modo u otro proclaman su carácter.

Todo ello nos está indicando que para Galdós, realista confeso, la realidad está bien lejos de consistir en algo cuyos datos nos entrega la experiencia de los sentidos, y sólo esa experiencia, como única vía de acceso disponible. Aun en el caso de *Marianela*, donde se propuso dar expresión novelística a la filosofía positiva—una filosofía positiva, cierto es, que ya se había convertido en *religión*, un poco delirante, de la humanidad—, lo hace en manera tal, que los calificativos de Menéndez Pelayo: "idilio trágico ..., más poético y delicado", no parecen descaminados.

Una ojeada panorámica a la producción galdosiana —pues no hace falta para ello su escrutinio detallado— nos persuadirá de que, en efecto, la realidad es a sus ojos algo más de lo que los ojos mismos pueden ver, y aun de que en ese *plus* está para él lo esencial.

Quienes a partir del 98 menospreciaron a nuestro escritor acusándolo de vulgaridad y mofándose de su espíritu a ras de tierra, o quienes hoy todavía aceptan sin revisarlo semejante juicio, encontrarán ocasión de sorpresa, quizá de escándalo, en el hecho de que un crítico moderno, Ricardo Gullón, haya comparado cierta novela de Galdós, *Miau* (Revista de Occidente, Ediciones de la Universidad de Puerto Rico, Madrid 1957), con una obra tan nada realista como *El castillo*, de Kafka. El estudio de Gullón—quien, por lo demás, no ha sido el primero en juntar y parear ambos escritores, antípodas al parecer en la invención literaria—, resulta, sin embargo, no arbitrario, no arriesgado, sino muy serio, fundado y convincente. La significación metafísica, que en la obra de Kafka es por demás obvia, inequívoca, se encontraba incorporada en la novela de Galdós con trazo y desarrollo igualmente seguro en el fondo; pero, en cambio, bajo las formas ambiguas a que sólo el gran poeta alcanza, y por cuya virtud su palabra se dirige a los espíritus refinados, como Kafka lo hace, sin dejar por eso de hablar a los simples, quienes también tienen su alma en su almario y su manera de entender la vida.

Si en el concepto de un *realista* tan caracterizado como Galdós la realidad no se reduce a aquella objetividad que nos garantizan los datos controlados de la experiencia sensible, o sea la "realidad de la naturaleza" (o, con tautología, la realidad de las cosas), sino que acepta también la realidad *del alma*, la *invención*, la *fantasía*, la *máscara grotesca*, etc.; en suma, la totalidad de la experiencia humana sin excluir, ni mucho menos, la de los sueños, sobre la cual vendría luego el *surréalisme* a apoyarse, tendremos que llegar a la conclusión de que nos falta base firme para distinguir entre la realidad y lo que no lo sea, y, por tanto, para marcar los contornos de un supuesto arte realista.

Cuando Galdós toma como señal de realismo la aceptación en el seno de la obra literaria del lenguaje hablado, en contraste con un lenguaje escrito enteramente constituido por los lugares comunes, las fórmulas verbales y las frases hechas de una retórica anquilosada; o cuando, por otra parte, se pronuncia a favor del traje de uso diario frente a la guardarropía caballeresca, nos permite sospechar que la postulación del realismo—en él, y en otros escritores españoles no afiliados a la dogmática naturalista—apunta en resumidas cuentas contra una literatura convencional, atemperada al resto de las convenciones sociales, y atenida a los términos estrictos que las buenas maneras consienten—o, lo que es menos, consentían—en un salón mesocrático. Y claro está que una literatura así trabada, que omite del campo de la experiencia humana cuanto se considera impropio y *shocking* en una visita de cumplido, es por definición una literatura falsa, amanerada; es mala literatura.

Pero entonces, si en nombre del realismo se trata de combatir ese enrarecimiento de la realidad que las convenciones sociales operan, y esa especie de fárrago literario que, a su vez, refleja esas convenciones y forma parte de ellas, deberemos confesar que nos hallamos ante un mero episodio muy transitorio de la historia literaria reciente. Apoyándose en la tesis de aquel naturalismo dogmático basado en una metafísica materialista que ellos no compartían de manera consciente y explícita, pero que de cualquier modo era la creencia general implícita en la época, quienes sostienen el realismo tradicional español lo que sostienen en verdad no es sino la literatura auténtica de todos los tiempos, la literatura de buena ley, con sus fueros de libertad y de sinceridad profunda, cualquiera que sea la concepción del mundo a que pueda responder cada período, cada obra particular.

Y siendo así, parece más que dudosa la conveniencia de seguir aferrados a un concepto de realismo cuyo valor fue circunstancial, y en que se albergan sentidos demasiado imprecisos, con la secuela de casi inevitables confusiones.

LOS NARRADORES EN *LAS NOVELAS DE TORQUEMADA*

En cierta oportunidad hube de sugerir que quienes, después de Cervantes, escribimos novelas, estamos siempre de nuevo reescribiendo en alguna manera el *Quijote.*

La frase debe interpretarse por cifra; pero si hay que entenderla así para que sea de aplicación a cualquier novelista, en el caso de Galdós tiene, en cambio, un sentido muy concreto y específico: literalmente, Galdós aprendió a novelar leyendo el *Quijote.* Por mucho que en su obra cuenten los estímulos de los grandes novelistas europeos, Balzac y Dickens, herederos en el siglo XIX de la gran tradición cervantina, es lo cierto que en España—donde esa tradición había quedado interrumpida o, mejor dicho, no alcanzó a establecerse—Galdós tuvo que regresar a la fuente común para llegar a ser—según lo ha calificado Ricardo Gullón en el título de un libro reciente—"novelista moderno". Novelista moderno quiere decir, en último análisis, eso: novelista cervantino. Tras la maraña de confusiones y equívocos de la discusión en torno al realismo (en la que el propio Galdós participó, aunque no de lleno, sino al sesgo), lo que se oculta es un hecho significativo: que por fin, ya casi vencido el siglo, se asume en la narrativa española la revolución literaria que Cervantes había traído al mundo europeo. ¿Hay que decirlo? Es sobre todo Galdós quien, creativamente, saca las consecuencias y obtiene los frutos de tal revolución.

En lo que se me alcanza, está todavía por hacer—y creo que daría lugar a un lucido trabajo de crítica académica—el estudio del proceso por virtud del cual el orbe artístico cervantino se transmuta en un orbe artístico galdosiano.[6] Debería mostrar ese estudio, mediante

[6] Existe, sin embargo, una apreciable tesis doctoral (J. Chalmers Herman "Don Quijote and the novels of Pérez Galdós", Ph. D., Ada,

el rastreo de las huellas, cómo, a partir de la más externa, superficial y obvia imitación, que a veces resulta incluso inocentona y tosca, llega a descubrir y utilizar Galdós los más sutiles secretos de la refinadísima técnica desplegada en la elaboración del *Quijote*,[7] con una

---

Oklahoma 1955), que esboza el tema y reúne muchos materiales textuales.

[7] Sólo un par de ejemplos bastarán a evidenciar lo que digo: ante todo, el que ofrece *Trafalgar*, una de las primeras obras de nuestro autor (1873), donde, aparte los muchos ecos de vocabulario y estilo ("emperador de Trapisonda", "dar en la flor", "fementido calesín", etc.), la figura de don Alonso Gutiérrez de Cisniega está calcada sobre la de Alonso Quijano. Quijotesco llama Hinterhäuser, en su estudio de los *Episodios Nacionales*, al personaje galdosiano, pero no se para a sustanciar su calificación, quizá por considerarla demasiado ostensible. Y en cuanto a J. Chalmers Herman, se abstuvo de incluir en su trabajo los *Episodios Nacionales*. Con todo, salta a la vista el paralelismo entre el viejo marino de *Trafalgar* y el hidalgo manchego, y no tan sólo en peripecias concretas, tales como la salida "por la puerta del corral para no ser vistos", sino en la interpretación general de su conducta insensata y heroica como símbolo de la actitud asumida por España en el campo de la historia desde la otra gloriosa derrota naval: la de la Armada Invencible.

A partir de sus primeras limitaciones, el aprendizaje de Galdós en la escuela cervantina se manifiesta en formas cada vez más refinadas y penetrantes. Su obra novelística refleja y adapta con sutileza creciente las técnicas desplegadas en el *Quijote*. Y así, el recurso de introducir en la segunda parte de éste como objeto de consideración y discusión la historia de la parte primera, es decir, el libro titulado *El ingenioso hidalgo don Quijote de la Mancha*, está recogida y sabiamente empleada por don Benito en una obra de su madurez, *Halma* (1895), que, como es sabido, engarza con *Nazarín* y viene a ser en cierto modo continuación y término a las aventuras del también quijotesco sacerdote andante. Éste es el otro ejemplo que me proponía aducir. Y quien tenga presentes en la memoria las conversaciones suscitadas en la historia del caballero alrededor de la historia del hidalgo desde el momento en que Sansón Carrasco lleva a don Quijote noticia del libro, no podrá menos de reconocer su modelo en pasajes como el del capítulo IV de la primera parte de

apropiación fecunda de recursos que, en manos de Cervantes, su inventor, sirvieron a intenciones muy distintas, como correspondientes a tan distinta realidad histórica. Pues es claro que si el novelista del siglo XIX los hace suyos, no es sin adaptarlos a su individual idiosincrasia y para erigir sus edificios imaginarios dentro de la problemática de su tiempo.

Una de las características de la novela moderna, o cervantina, por contraste con la novela de tipo tradicional, es que en ella la narración incluye perspectivas diversas, de donde le viene una cierta y buscada ambigüedad,

---

Halma, donde se lee: "¿Sabe usted que anda por ahí un libro que trata de Nazarín, en el cual se cuenta cómo salió a sus peregrinaciones, cómo encontró prosélitos, cómo realizó actos de verdadero heroísmo y de sublime caridad?" "He leído ese libro, que me regaló su autor con una dedicatoria muy expresiva. Pero no me fío de lo que allí se cuenta, por ser obra más bien imaginativa que histórica. Los escritores del día antes procuran deleitar con la fantasía que instruir con la verdad". "¿Puedo ya leer ese libro?" "Seguramente, pero sin olvidar que es novela". "Entonces prefiero otra cosa". "¿Qué?" "Ver al propio Nazarín. El sujeto vivo dará más luz que una historia cualquiera, aun suponiendo que no fuese fantástica y tan sólo escrita para entretenimiento de los desocupados". O bien en el capítulo II de la segunda parte, en que se vuelve sobre el asunto: "¿Y qué—preguntó a los periodistas uno de los del oficio literario que acababa de entrar.—¿Saben ustedes si ha leído el librito de su nombre que anda por ahí". "Lo ha leído ..., y dice que el autor, movido de su afán de novelar los hechos, le enaltece demasiado, encomiando con exceso acciones comunes que no pertenecen al orden del heroísmo, ni aun al de la virtud extraordinaria ... Y dice también que en su reyerta con los bandidos en la cárcel de Móstoles no le costó tanto trabajo vencer la ira como en el libro se dice; que la venció al instante y con mediano esfuerzo". Inclusive, un poco más adelante, puede advertirse cuán a fondo aprendió Galdós la lección cervantina, al hacer que Andara desmienta al libro con sus propias mentiras interesadas. Pero, para ejemplo, es suficiente lo dicho.

imitación de la que presenta la vida humana misma. No se trata ya de un relato llano, en que la relación entre quien lo hace y quien lo escucha o lee es uniforme y siempre directa. Por otra parte, el interés no está centrado tanto en los acontecimientos referidos como en los personajes, quienes tienden a adquirir autonomía en el sentido de prolongar su existencia, como en línea de puntos, más allá del cuento, en el mundo exterior, dando la impresión de que dicho cuento no fuera sino un episodio conocido entre los muchos, posibles, que jalonan la carrera de una particular vida humana.

Para crear la ilusión poética de que sus personajes existen fuera del texto de la novela con un despliegue vital autónomo, pone en juego Galdós diferentes técnicas, algunas de las cuales vamos a examinar con referencia principal a la serie de *Torquemada.*

Por lo pronto hallamos que, en varios casos, inclusive el del protagonista, la presencia del personaje había sido establecida previamente en un plano secundario dentro de otras obras de imaginación. El recurso, como es bien sabido, procede directamente de Balzac, que lo había usado de modo sistemático en *La comedia humana*, por cuyos diferentes cuerpos narrativos transitan, con mayor o menor destaque, los mismos personajes. Y no hay duda tampoco de que la introducción y empleo consecuente y deliberado de este recurso en la literatura novelesca se debe al autor del *Quijote*, cuyas dos partes no sólo lo aplican con mayor riqueza imaginativa, sino que lo extienden hasta el punto de acoger en sus páginas a un ente ficticio procedente de obra ajena: el caballero granadino que, desde el apócrifo, irrumpe en el mundo de nuestro *Don Quijote.* Cuando publica Galdós su *Torquemada en la hoguera*, ya la figura de éste había aparecido en *El doctor Centeno*, como prestamista modesto; en *La de Bringas*, con mayores alcances, y muy crecido en sus negocios en *Fortunata y Jacinta.* Al adoptarlo ahora para el papel protagónico, inicia Galdós la narración hablando con la voz del autor en primera persona: "Voy a contar cómo fue al quemadero el inhumano", etc. Y en el segundo párrafo nos dirá: "Mis amigos conocen ya, por lo que de él se me antojó referirles, a don Francisco Torquemada". Indirectamente desde el punto de vista gramatical, pero de un modo bastante directo en la intención, habla ahora con sus lectores a propósito del personaje: "¡Ay de mis buenos lectores—exclama—si conocen al implacable fogonero de vidas y haciendas por tratos de otra clase, no tan sin malicia, no tan desinteresados como estas inocentes relaciones entre narrador y lector!" Con esto se da por supuesto que, aparte del conocimiento de Torquemada adquirido por los lectores en las obras anteriores del autor, pudieran acaso conocerlo también en su condición de prestamista, es decir, fuera del campo de la ficción literaria en que autor, personaje y lector conviven. Imaginariamente, se intenta sacarlos a todos ellos, incluso al protagonista, del marco de la obra; o más bien, si se quiere, ensanchar éste para que dentro de él quepan a su vez el narrador y sus lectores; porque lo que en verdad se hace es ficcionalizarlos de modo definitivo, convirtiéndolos en personajes imaginarios que hubieran podido ser víctimas eventuales también ellos de los manejos del imaginario usurero.

De nuevo procura Galdós borrar los límites entre el mundo poético y la realidad cotidiana cuando, al dar cuenta de la viudez de Torquemada, dice con leve ironía cervantina: "Perdónenme mis lectores si les doy la noticia sin la preparación conveniente, pues sé que apreciaban a doña Silvia, como la apreciábamos todos los que tuvimos el honor de tratarla», etc. Ya ahí el autor invita a sus lectores a ingresar con él dentro del campo de la ficción; pero pronto dará un paso aún más resuelto con referencia a Valentinito, el hijo de Torquemada. "Dos hijos le quedaron: Rufinita, cuyo nombre no es nuevo para mis amigos, y Valentinito, que ahora sale por primera vez". De él nos dirá pronto que: "No obstante el parecido con su antipático papá, era el chiquillo guapísimo, con tal expresión de inteligencia en aquella cara, que se quedaba uno embobado mirándole; con tales encantos en su persona y carácter, y rasgos de conducta tan superiores a su edad, que verle, hablarle y quererle era todo uno". Aquí el autor muestra implícitamente un conocimiento personal del muchacho, pues no se limita a exponer sus cualidades, sino que lo hace acompañando noticia de la impresión subjetiva producida por ellas sobre el ánimo del observador. Es la preparación para algo que va a contarnos en el capítulo II. "Un día—dice—me hablaron de él dos profesores amigos míos que tienen colegio de primera y segunda enseñanza, llevaronme a verle y me quedé asombrado. Jamás vi precocidad semejante ni un apuntar de la inteligencia tan maravilloso. Porque si algunas respuestas las endilgó de tarabilla, demostrando el vigor y riqueza de memoria, en el tono con que decía otras se echaba de ver cómo comprendía y apreciaba el sentido". Ahora ya los lectores han quedado fuera, reducidos a meros destinatarios de la información. Presenciamos una pequeña escena en la que el autor participa directamente, haciéndose así por un momento personaje activo, aunque con papel mínimo, en el curso de la acción. Es, por supuesto, un personaje marginal, cuya actuación se limita a dar noticia de algo que ha oído o a lo sumo, como en el episodio transcrito, algo de que ha sido testigo presencial. Con esto se ha desdoblado en dos figuras de narrador: uno es el que se concreta dentro de la historia como una figura más, y otro, el autor omnisciente que relata, en general, cosas imposibles de conocerse desde una perspectiva individualizada, como, por ejemplo, cuando viene a referirnos en *Torquemada en la cruz* (cap. V) el efecto que el protagonista produce a la que llegará a ser su esposa, Fidela, cuando por primera vez lo ve: "Tardó bastante en aplomarse delante de Torquemada, el cual, acá para *inter nos*, le pareció un solemne ganso". El autor ha penetrado en la mente del personaje, y con actitud de reserva (acá para *inter nos*: yo, autor que lo sé todo, y tú, lector, a quien te comunico aquello que me conviene sepas) lo pone al tanto de la reacción causada en la joven por su visitante.

La narración a cargo de un autor-personaje había sido empleada ya ampliamente por Galdós. Los *Episodios nacionales* asumen la forma de relato autobiográfico escrito por el protagonista en los años de su vejez extrema, y lo abre bajo la invocación de un precedente clásico. "Doy principio, pues, a mi historia como Pablos, el buscón de Segovia", dice al comenzar *Trafalgar*; y ya es sabido que la forzada participación del personaje relator en todos los sucesos importantes de esta historia, que es la de España, crea grandes dificultades técnicas, resueltas por don Benito con mejor o peor fortuna. En *El amigo Manso* encontraremos la misma técnica narrativa aplicada con enorme originalidad, pues aquí el protagonista que en primera persona cuenta la historia es un ente de ficción que ha comenzado por declarar su inexistencia. "Soy ... una condensación artística ... Quimera soy, sueño de sueño y sombra de sombra", y desde los "espacios de la idea ... donde mora todo lo que no existe", concita la figura del autor: "un amigo que ha incurrido ... en la pena infamante de escribir novelas, así como otros cumplen, leyéndolas, la condena o maldición divina". Es otra vez el autor omnisciente, soberano, pero ahora visto por los ojos de un personaje creación suya.

Además de este autor-demiurgo y del narrador que participa como personaje en la acción con un papel principal o más o menos accesorio, finge Galdós otros autores de carácter secundario al comenzar *Torquemada en el purgatorio.* Vale la pena reproducir aquí por extenso lo que se lee en el capítulo I de la primera parte: "Cuenta el licenciado Juan de Madrid, cronista tan diligente como malicioso de los *Dichos y hechos de don Francisco Torquemada*, que no menos de seis meses tardó Cruz del Águila en restablecer en su casa el esplendor de otros días ... Disiente de esta opinión otro cronista no menos grave, el Arcipreste Florián, autor de la *Selva de comilonas y laberinto de tertulias*, que fija en el día de Reyes la primera comida de etiqueta que dieron las ilustres damas en su domicilio de la calle de Silva. Pero bien pudiera ser esto error de fecha ... Y vemos corroborada la primera opinión en los eruditísimos *Avisos del arte culinario*, del Maestro López de Buenafuente, el cual, tratando de un novísimo estilo de poner las perdices, sostiene que por primera vez", etc. "No menos escrupuloso en las referencias históricas se muestra el 'Cachidiablo' que firma las *Premáticas del buen vestir*, quien, relatando unas suntuosas fiestas", etc. "Ni se necesita compulsar prolijamente los tratadistas más autorizados de cosas de salones para adquirir la certidumbre de que las señoras del Águila permanecieron algún tiempo en la oscuridad, como avergonzadas, después de su cambio de fortuna. 'Mieles' no las cita hasta muy entrado marzo, y el 'Pajecillo' las nombra por primera vez enumerando las mesas de petitorio en Jueves Santo, en una de las más *aristocráticas iglesias* de esta corte. Para encontrar noticias claras de épocas más próximas al casamiento, hay que recurrir al ya citado Juan de Madrid, uno de los más activos y al propio tiempo más guasones historiógrafos de la vida elegante ... Llevaba el tal un centón en que apuntando iba todas las frases y modos de hablar que oía a don Francisco Torquemada (con quien trabó amistad por Donoso y el marqués de Taramundi)", etc.

A la lectura de estos párrafos no es difícil darse cuenta de que Galdós está incurriendo en una imitación bastante directa de Cervantes. Para empezar, se refiere a un licenciado Juan de Madrid, supuesto autor de una crónica sobre los *Dichos y hechos* del protagonista de la novela. El tono de broma literaria resulta patente. Dicho licenciado se nos presenta como figura de pergeño arcaizante introducida, con propósitos de pura facecia, a la cabeza de un serie de personajes análogos: el Arcipreste Florián, el Maestro López de Buenafuente y el "Cachidiablo", autores de sendos libros cuyos títulos, como el del licenciado, suenan a trasunto de la parodia cervantina: *Selva de comilonas y laberinto de tertulias, Avisos del arte culinario, Premáticas del buen vestir...* Un leve aire de soflama mueve esta atmósfera "clásica", acentuado todavía al afirmar en seguida el autor con gravedad burlesca: "Ni se necesita compulsar prolijamente los tratadistas más autorizados de cosas de salones", etc. Estos autorizados tratadistas usan seudónimos tan ridículos como "Mieles" y el "Pajecillo", y con ellos pasa Galdós de la parodia cervantina en segundo grado a una parodia directa, de más libre imitación cervantina, pues se trata ahora, no de calcos literarios del Siglo de Oro, sino de figuras pertenecientes al periodismo contemporáneo: "Mieles" y el "Pajecillo" son caricatura de los revisteros de sociedad, cuyo estilo sirve a Galdós como objeto de ligera mofa: "En una de las más *aristocráticas iglesias* de esta corte". En cambio, "los papeles del licenciado" se mencionan como una fuente de información ajena a las prensas, después de haberlo caracterizado así: "uno de los más activos y al propio tiempo más guasones historiógrafos de la vida elegante, hombre tan incansable en el comer como en el describir opulentas mesas y saraos espléndidos", que llevaba "un centón [de nuevo el rasgo arcaizante] en que apuntando iba todas las frases y modos de hablar que oía a don Francisco Torquemada (con quien trabó amistad por Donoso y el marqués de Taramundi)", amistad ésta que lo sitúa ahora, en cuanto personaje "real", en el campo de la realidad fingida de la novela.

Aquellos periodistas son pronto abandonados, mientras que en la tercera parte, capítulo I, de este volumen reaparece, asumiendo su puesto, el licenciado Juan de Madrid. De él se nos dice que "describía con pluma de ave del paraíso el espléndido sarao, concluyendo por pedir con relamidas expresiones que se repitiera". Ahora el licenciado actúa como cronista de sociedad en alguna publicación.

Por último, con ocasión del banquete ofrecido a Torquemada, vuelve a echar mano el autor de relatos cuya fuente se supone independiente de su propia omnisciencia. "Concuerdan—dice en el capítulo VI—los diferentes cronistas de aquel estupendo festín en la afirmación de que ...". Se trata ahora de cronistas indeterminados: los mismos que debían escribir en "los periódicos de la mañana", de que habla en el capítulo VII; pero en seguida aquel licenciado Juan de Madrid, que al principio de la novela pintaba como una figura grotesca arrancada del *Quijote,* toma cuerpo concreto (ya sabíamos que había trabado amistad con Torquemada) y se nos aparece asistiendo al banquete en medio de un grupo de burlones: "*Achantaditos* en un extremo de la mesa lateral, a la mayor distancia posible de la cabecera, hallábanse Serrano Morentín, Zárate y el licenciado Juan de Madrid, éste con la intención más mala del mundo, pues preparábase a tomar nota de todas las gansadas y solecismos que forzadamente había de decir, en su discurso de gracias, el grotesco tacaño, objeto de tan disparatado homenaje." Ahora, en vista de esto, sus "papeles", el centón titulado *Dichos y hechos de don Francisco Torquemada,* termina de perfilarse ante nosotros como la broma actual de un periodista burlón (de quien, por su parte, acaba de burlarse el autor atribuyéndole "pluma de ave del paraíso"). Más adelante, el narrador reproduce en nota al pie de página (cap. VIII) un breve diálogo donde escuchamos de labios del licenciado una opinión sobre Torquemada que no coincide exactamente con el concepto en que nos parecía tenerle. Dice así dicha nota: "*En el grupo de los críticos.* MORENTÍN: Pero ¿han visto ustedes un ganso más delicioso? JUAN DE MADRID: Lo que veo es que es un guasón de primera. ZÁRATE: Como que nos está tomando el pelo a todos los que estamos aquí". El guasón resulta ser, pues, no el licenciado, sino Torquemada mismo.

En la información acerca de ese banquete no se conformará Galdós con las facultades de omnisciencia que su condición de autor soberano le confiere, ni con la ayuda que puedan prestarle los periodistas. Nos dice que "gracias a los diligentes taquígrafos que el narrador de esta historia llevó al banquete por su cuenta y riesgo, han salido en letras de molde los más brillantes párrafos de aquella notable oración, como verá el que siga leyendo" (cap. VII, *in fine*). Con esto, vuelve el autor a meterse dentro del ámbito imaginario en calidad de personaje individualizado, tomando alguna parte, aunque sea marginal, en la acción. El narrador ha asistido personalmente al banquete, igual que el licenciado Juan de Madrid; y, no contento con ello, ha llevado sus propios taquígrafos para poder ofrecer una versión textual del discurso pronunciado por el protagonista.

Sin embargo, al reproducir este discurso (cap. VIII) vuelve el autor omnisciente a poner notas al pie de su texto, por el estilo de las que siguen: "Frase aprendida de Donoso dos días antes"; "Procura recordar un final de párrafo que oyó en el Senado, y al fin lo enjareta como Dios le da a entender"; "Adverbios que pescó en el Senado el día anterior"; "Frase tergiversada de otra que leyó el día anterior en un periódico."

Por último, en *Torquemada y san Pedro* (donde reaparecerá todavía el licenciado Juan de Madrid, ahora como amigo de la familia en las exequias de Fidela), se da una curiosa combinación en que el autor es, a la vez, omnisciente y, sin embargo, está personalizado. "Es casi seguro que la dama trágica y la dama cómica ... hablaron de aquel misterioso asunto, y que Augusta no ocultó a su amiga la verdad o la parte de verdad que ella sabía; mas no consta que así lo hiciera, porque cuando las hallamos juntas no hablaban de tal cosa, y sólo por algún concepto indeciso se podía colegir que la marquesa de San Eloy no ignoraba el punto negro ... de la vida de su idolatrada compañera", se lee en el capítulo VIII. De ahí resulta que el narrador, invisible desde su posición, es capaz de sorprender las conversaciones privadas; pero, por otro lado, cuando escucha el diálogo entre estas dos mujeres es ya demasiado tarde para cerciorarse de lo que han hablado antes, y sólo le queda la conjetura. Así, no sería ya como un Dios ubicuo que todo lo sabe y todo lo ve, aunque no refiera sino aquello que crea conveniente, sino a manera de fantasma desencarnado que ronda por el mundo de los vivos...

Esa gran pluralidad de perspectivas que, según hemos comprobado, usa Galdós en su narración tiene por objeto proyectar sobre su asunto puntos de vista diversos, enriqueciendo poderosamente la ilusión de realidad, y muestra cuán fecundos han sido los frutos de la lección cervantina en la obra de su madurez de novelista.

LA CREACIÓN DEL PERSONAJE EN GALDÓS

Han sido varias, aunque no muchas, las veces que, a lo largo de mi carrera, he publicado opiniones o apreciaciones acerca de Galdós. La última, un reciente estudio sobre los narradores en las novelas de la serie *Torquemada,* que dedico en homenaje a Joaquín Casalduero. La primera fue, si no me equivoco, un artículo de 1943 en *La Nación,* de Buenos Aires, escrito con ocasión del centenario, que entonces se celebraba—y no, por cierto, en España, donde su nombre era por aquellas fechas nefando—, del nacimiento de nuestro mayor novelista.

Quisiera comenzar hoy trayendo a colación ese remoto artículo mío porque, transcurrido ya más de un cuarto de siglo, no deja de presentar algún interés (ahora que con tan unánime glorificación se conmemora el cincuentenario de su muerte) el modo como en aquel entonces hube de enfocar su imponente figura; un interés que pudiéramos llamar histórico. "Cuando pasado el juvenil afán que descubre continentes nuevos en un leer insaciable y sin discernimiento—decía yo en aquella época todavía próxima a los entusiasmos de la vanguardia—quise, apenas remansado el frenesí de las lecturas, definir mi conciencia literaria en una postura activa de estética beligerancia, prevalecía en los medios intelectuales españoles un juicio desfavorable hacia Galdós. Este juicio—añadía yo—había sido formado por la generación del 98",[8] y aunque impugnado con vigor por algunos miembros de la generación siguiente—Pérez de Ayala, Marañón—, concordaba con las actitudes impuestas a los grupos juveniles por sus convicciones teóricas y su fiebre renovadora.

Pero entre los entusiasmos vanguardistas de mi generación y el momento en que, exiliado ya, escribía yo mi artículo en Buenos Aires, había tenido efecto la guerra civil española y estaba en curso la Segunda Guerra Mundial, operando un cambio de clima espiritual en donde muy pronto prosperaría el existencialismo literario. Era, pues, un momento de crisis, y sin duda que mis palabras la reflejan. En conjunto, el artículo tendía a colocar la apreciación de Galdós en el terreno que por

[8] Cf. infra, p. 105.

derecho le pertenece, descartando los valores del "estilo", entendido éste en su aspecto superficial en cuanto selección y arreglo de las palabras con vistas a sus valores cromáticos y musicales, para insistir en las calidades propias del novelista. Pero, no obstante poner todo el peso en aquello que realmente constituye la grandeza de Galdós: "El complejo de significaciones estéticas donde arraiga el género literario *novela*", quise todavía, con típico celo, encontrar compensadas las caídas de su prosa por "hallazgos de estilo y, sobre todo, de imagen, donde la corriente fácil, suelta y continua del discurso se detiene complacida en un juego lleno de encanto. Muchos de esos hallazgos—agregaba yo—consentirían, dada su consistencia, ser aislados, extraídos del contexto en que se encuentran, segregados, sustantivados, y entonces habrían de resplandecer en su valor absoluto. ¡Qué suma poética no hubiera podido componerse con esos materiales, que en insospechadas concreciones imaginistas arrastra como al descuido la densa prosa del narrador!" [9] Y así en adelante. Como puede advertirse, tenía yo empeño en destacar esos valores artísticos muy preciados para mí, que, después de todo, no son sino accidentales en la creación galdosiana.

Lo importante es que, en opinión mía—y supongo que en la de todo el mundo, en la opinión literaria general—, Galdós había salido ya de la zona de lo controversial para quedar instalado de lleno en una posición inconmovible, donde, en lugar de sometérsele a las estimaciones oscilantes de gustos y escuelas, se hace nece-

[9] Cf. infra, p. 107.

sario que el crítico ajuste sus personales juicios a los cánones implícitos en su obra. Lo cual no impide, claro está, que cada cual explore en ella las parcelas o aspectos que para su propio interés resultan más significativos, y busque en los modelos ofrecidos soluciones o siquiera aproximaciones a los problemas particulares de su propio tiempo. Ésta es, precisamente, la virtud de los clásicos, ésta es la condición que les confiere clasicismo: que, con riqueza al parecer inagotable, dan respuesta a las demandas cambiantes de diferentes épocas y dicen algo a muy diferentes sensibilidades, consintiendo la prueba de los más variados puntos de vista. Y, a decir verdad, la enorme magnitud de la producción galdosiana y la diversidad de sus contenidos se prestan a un trabajo de exégesis en el que no se estorban ni tienen por qué competir, antes bien, pueden cooperar muchos estudiosos.

Por razones que no son del caso, y seguramente muy circunstanciales, la atención que yo le he prestado en mis estudios destinados al público no ha sido demasiado asidua; pero debo decir que no hay vez en que vuelva a sus libros (y lo hago con frecuencia, tanto por gusto como por profesional obligación) que no encuentre la recompensa de nuevas vislumbres e incitaciones. Así, este mismo año (1970), la película de Buñuel basada en *Tristana* me ha llevado hacia la novela, y esta lectura reciente ha despertado en mí impresiones y suscitado reflexiones que no me habían ocurrido antes. (Dicho sea entre paréntesis: puesto que comencé aludiendo al contraste entre las teorías vanguardistas de mi juventud y el espíritu "garbancero" que se atribuía a don Benito, ¿no es de veras curiosa la devoción—pudiera decirse, incluso, la obsesión—del superrealista Buñuel, el autor de *Le Chien andalou* y *L'Âge d'or*, con el realista mundo galdosiano? Acerca de ello habría que decir mucho más de lo que cabe en una anotación incidental. Quede tan sólo apuntado que el superrealismo de nuestro cineasta quizá no sea tanto resultado de teorías o lecturas, o de un espíritu de los tiempos o de la influencia de sus coetáneos, como una reacción de crudo y brutal españolismo, de radical casticismo cerrado al exterior, por cuyo lado se explicaría la sorprendente simbiosis de este intuitivo con aquel reflexivo y sereno observador de la vida hispana.) Pues bien: volviendo ahora a *Tristana,* la novela—a la que en el fondo le es bastante ajena la película en ella inspirada—, mi lectura última me ha descubierto en esta obra, no por cierto una de las mejores de su autor, el intento deliberado—más deliberado y sistemático que en ninguna otra—de superponer a los materiales de la existencia cotidiana que trata de representar según el módulo realista un revestimiento de literatura lo bastante fuerte como para imprimirle forma y prestarle carácter.

Tristana, título de la obra, es ya, para empezar, el nombre que a la heroína impuso la fantasía de su madre, dama "con ciertas puntas y ribetes de literata de buena ley", que "detestaba las modernas tendencias realistas": "Su niña debía el nombre de Tristana a la pasión por aquel arte caballeresco y noble, que creó una sociedad ideal para servir constantemente de norma y ejemplo a nuestras realidades groseras y vulgares". Es, pues, la muchacha, al menos en cuanto a su nombre (pero en alguna medida también su carácter corresponde al significado de éste), una creación del delirio quijotesco de su progenitora, quien a través de sus preferencias literarias se identifica con una sociedad *ideal* que debiera superponerse a las *realidades* del presente, y quiere simbolizarla en la criatura de sus entrañas. Ésta, Tristana, aparece así como proyección de una mente enferma, extraviada por aquellos libros que volvieron loco a Alonso Quijano.

A su vez, el protagonista, conocido por don Lope de Sosa, es también un trasunto literario: viene a rellenar por lo pronto la silueta que había trazado en hueco la famosa *Cena jocosa,* de Baltasar del Alcázar:

En Jaén, donde resido,
vive don Lope de Sosa;
y diréte, Inés, la cosa
más brava de él que has oído...

Como nadie ignora, tras de la copiosa cena con sus espléndidos bodegones, el sueño hará que el cuento se quede para mañana, y lo único que hemos sabido al terminar el poema es que

tenía este caballero
un criado portugués,

y que

el portugués cayó enfermo;

nada más. En ningún momento nos declara Galdós que su don Lope de Sosa sea el de la conocidísima composición de Alcázar, antes quiere despistarnos hablando de teatro y de romances; pero no deja, sin embargo, de ofrecernos algunas claves sutiles. Hacia el final de la novela, el tronado caballero recibirá auxilio económico de sus primas, "que en Jaén residían"; y ya antes, en una conversación de Tristana con su nuevo amante, Horacio, ha intercalado ella: "Pues *diréte, Inés, la cosa*... Oye". ¿Quién podrá dudar de que el personaje galdosiano—en parte por su propio capricho de cambiar en Lope su familiar López, y en parte por el capricho burlón de sus amigos, que han añadido al disfrazado patronímico ese apodo "de Sosa"—es una encarnación literaria del fantasmal caballero de Jaén? Pues—recordémoslo—en la novela ese nombre resulta ser un postizo: " ... dijéronme que se llamaba *don Lope de Sosa,* nombre que trasciende al polvo de los teatros o a romances de los que traen los librillos de retórica; y, en efecto, nombrábanlo así algunos amigos maleantes; pero él respondía por don Lope Garrido. Andando el tiempo supe que la partida de bautismo rezaba *don Juan López Garrido,* resultando que aquel sonoro *don Lope* era composición del caballero, como un precioso afeite aplicado a embellecer la personalidad; y tan bien caía en su cara enjuta, de líneas firmes y nobles; tan buen acomodo hacía el nombre con la espigada tiesura del cuerpo, con la nariz de caballete, con su despejada frente y sus ojos vivísimos, con el mostacho entrecano y la perilla corta, tiesa y provocativa, que el sujeto no se podía llamar de otra manera. O había que matarle o decirle don Lope". Pero si este apelativo conviene a la catadura un tanto caricaturesca del personaje, vamos a ver cómo todavía concurren en él también los rasgos de otras criaturas literarias, igualmente sugeridos en su nombre. Dejando aparte la variante maliciosa de *don Lope* que, en juego con Lope, le da su criada Saturna para aludir a la listeza que le atribuye ("más listo que Lepe", suele decirse), o acaso en la intención del autor para indicar su transformación de "lobo" en "liebre", observemos que, según la partida de bautismo, nuestro hombre se llama Garrido. Este apellido, como con tantísima—quizá excesiva—frecuencia ocurre en las obras de Galdós, sirve para caracterizar o descubrir al personaje, delatando alguna cualidad suya ("garrido" equivale a "galano", según enseña la Academia); mientras que el nombre de pila, don Juan, viene a afiliarlo en la progenie de un muy ilustre héroe poético: don Juan Tenorio. En efecto, nuestro don Lope es un don Juan; y las notas de su carácter, tal como se desprenden del texto de la novela, se ajustan—hechas las convenientes adaptaciones—a las del prototipo de Tirso. "Sin ninguna ocupación profesional", don Lope era "gran estratégico en lides de amor, y se preciaba de haber asaltado más torres de virtud y rendido más plazas de honestidad que pelos tenía en la cabeza". (Más adelante oiremos a Tristana referirse en conversación con Horacio a las historias galantes que, para encenderle la imaginación, su seductor le contara, ponderando: "Lo de la marquesa del Cabañal es de lo más chusco ...

El marido mismo, más celoso que Otelo, le llevaba ... Pues ¿y cuando robó del convento de San Pablo, en Toledo, a la monjita?... El mismo año mató en duelo al general que se decía esposo de la mujer más virtuosa de España, y la tal se escapó con don Lope a Barcelona. Allí tuvo éste siete aventuras en un mes, todas muy novelescas. Debía de ser atrevido el hombre, muy bien plantado y muy bravo para todo".) Por supuesto, don Lope "aborrecía el matrimonio". Y todavía se perfila este carácter donjuanesco con un muy puntilloso sentido de la caballerosidad, o caballería, cuyas leyes interpretaba "con criterio excesivamente libre". "Para él, en ningún caso dejaba de ser vil el metal acuñado, ni la alegría que el cobrarlo produce le redime del desprecio de toda persona bien nacida"; pero "si su desinterés podía considerarse como virtud, no lo era ciertamente su desprecio del Estado y de la Justicia, como organismos humanos. La curia le repugnaba ...". "Y no se crea que era irreligioso ...". En suma, "si no hubiera habido infierno, sólo para don Lope habría que crear uno, a fin de que en él eternamente purgase sus burlas de la moral y sirviese de escarmiento ... ", etc.

Como bien puede advertirse, la figura del protagonista de *Tristana* está, pues, construida con materiales que la tradición ponía al alcance del autor, de modo que nuestro don Lope constituye, todo él, una alusión literaria. No se piense, sin embargo, que esta construcción del personaje ficticio sobre un modelo tomado de la literatura misma, aunque ello sea en forma tan deliberada y obvia como aquí se hace, implica desvío frente a la realidad, ni siquiera—aunque a primera vista pudiera parecerlo—infidelidad o traición a los principios del realismo, sino tal vez un refinamiento mayor y una más resuelta penetración en la estructura misma de la vida humana que la novela trata de representar. Pues la literatura, la tradición literaria, se encuentra muy profundamente engranada en la experiencia práctica; más aún: contribuye en medida sustancial a organizar la vida en sociedad mediante los oficios de la imaginación, ya que ésta, operando en diversas vías, establece tanto los mitos colectivos portadores de valoraciones reconocidas y acatadas por el grupo, como los dechados de humanidad a que cada individuo pretende ceñirse. Así, don Juan López Garrido se inventa a sí mismo como "don Lope" (y sus amigos completarán esa invención apellidándole "de Sosa") al asumir el continente y la conducta, la figura y el comportamiento de un caballero del siglo XVII, estilizando su personalidad de acuerdo con un modelo establecido y fijado en la mente colectiva por la tradición literaria, de igual manera que pueden hacerlo y lo hacen en la práctica de la vida real muchos sujetos particulares; de igual manera que, en un sentido amplio, debemos hacerlo todos, ya que la literatura ofrece una manifestación especializada de la imaginación colectiva. Referir a prototipos literarios sus personajes novelescos, según Galdós lo hace, no es, pues, privarlos de realidad, sino, al contrario, calar hondo en la naturaleza social del hombre, orientado siempre por los patrones culturales vigentes en su comunidad.

En cuanto a Tristana misma, ya vimos para empezar

cuál era el origen de su nombre. En el curso de la novela asumirá ella también otros que el humor cariñoso de Horacio extraerá para adjudicárselos del acervo poético: los de las heroínas dantescas Beatrice y Francesca (Frasquita, Paca, Panchita, Curra de Rímini, quien repetirá en ocasión oportuna "aquello tan sobado de *nessun maggior dolore*").

No ya en labios de un personaje, o en su pluma, sino en la del narrador mismo, acude, tácita, otra cita de la *Divina comedia* cuando, tras la primera que en la intimidad había tenido Tristana con su nuevo amante, nos dice el autor: "Y desde aquel día ya no pasearon más" (sus entrevistas habían sido hasta entonces peripatéticas), en intencionada imitación del famoso verso: *quel giorno più non vi leggemmo avante.* Las alusiones literarias, no sólo al Alighieri, sino también a otros varios poetas, pululan en la novela, y bien puede afirmarse que le imprimen un sello especial.

Desde luego que el procedimiento no es nuevo, ni tampoco excepcional en Galdós; ya en ocasión anterior hubimos de señalarlo, con referencia a *Misericordia* y a propósito de un personaje, el caballero Ponte, cuya figura responde claramente al prototipo literario establecido por el escudero del *Lazarillo;* y nada hay que decir acerca del reflejo de *Don Quijote,* ubicuo en toda la extensión de la obra novelística galdosiana; sólo que en *Tristana* se destaca de un modo muy particular este encuadramiento de nuevas criaturas imaginarias en el marco de la tradición literaria, suscitando en nosotros algunas reflexiones sobre su alcance y consecuencias.

Ante todo, conviene notar que ello comporta una exigencia del autor frente a sus lectores, quienes no podrán captar por completo la intención de su proyecto, a menos que sean capaces de penetrar las alusiones y percibir al trasluz las figuras literarias sobre las cuales ha sido montado. Así, por ejemplo, a quien desconozca la significación del verso citado en la historia de Paolo y Francesca se le escapará, al menos en parte, el sentido de la maliciosa parodia que de él hace Galdós cuando relata las relaciones entre Horacio y Tristana. El escritor da por supuesta la existencia de una comunidad de lecturas con su público, a falta de cuya comunidad la comprensión del nuevo libro que le entrega ahora resultaría deficiente y, en gran medida, fallida. Pero apenas hará falta insistir en que tal es, de cualquier manera y en términos generales, el supuesto de toda comunicación literaria. El poeta opera siempre sobre la base de una tradición que con él comparten los destinatarios de sus escritos, como han de compartir el resto de los valores culturales, empezando—claro está—por el idioma, en que uno y otros se encuentran integrados.

Lo notable en este caso es que, entre dichos valores culturales, y precisamente por lo que atañe al proceso de la creación artística, figuraba con gran relieve y prevalecía al tiempo de escribir Galdós la teoría del realismo, "las modernas tendencias realistas" detestadas por la madre de Tristana; y esa teoría preconizaba, en lo literario, no por cierto la imitación de los clásicos ni nada que se le parezca, sino, muy al contrario, la observación directa y descripción puntual de los materiales inmediatamente ofrecidos por la sociedad. Sin embargo, lo que hallamos aquí y nos parece digno de nota no es el hecho de que la obra galdosiana aparezca inserta dentro de la tradición literaria, como de todos modos hubiera tenido que estarlo aunque él no quisiera; lo interesante es que, en efecto, lo quiere, que invoca esa tradición en forma bien expresa y premeditada, colocando a sus lectores frente a la forzosidad de remitirse a ella como indispensable marco de referencias. Con esto, comprobamos una vez más aquí la actitud flexible de don Benito frente a las teorías literarias, que en ningún momento adoptará con seguridad dogmática. Pues, aun cuando alguna vez tomara, como es sabido que lo hizo, apuntes del natural para luego llevarlos al lienzo donde pinta la realidad, no por ello deja de componer ésta con los elementos de la fantasía poética incorporados a la mente colectiva. Y al efectuar esta combinación sigue las lecciones del modelo que nunca cesaría de estudiar durante su vida de novelista: Cervantes.

No hay duda: el recurso de presentar a sus criaturas imaginarias colocadas simultáneamente en dos, o quizá más de dos planos—el de la experiencia cotidiana y el de esa otra experiencia, privilegiada y decantada, que las estilizaciones poéticas del pasado nos suministran—, tiene un inequívoco sello cervantino. Como en el autor del *Quijote,* aunque no con tan asombrosa variedad ni sutileza tan rara, también en Galdós los nombres atribuidos a los personajes revelan con su incertidumbre y plasticidad la condición proteica de quienes los llevan, saltando siempre desde lo inmediato-concreto del hidalgo aldeano (o de la rica villana de Osuna) a los más diversos ámbitos de la fantasía literaria. Este salto del personaje puede darse en la descripción de su carácter ofrecida por el narrador, puede cumplirse en la interpretación de ese carácter que otros personajes hagan, y puede ser obra de la mente acalorada del personaje mismo. De todo ello hay muestras, según habrá podido advertirse, en el caso de don Lope de Sosa, como en tantos y tantos otros.

El procedimiento, con sus alucinantes posibilidades, da lugar a una relación muy compleja entre el autor y el lector a través de los seres ficticios que pueblan las páginas de sus novelas transitando de una en otra. En un reciente ensayo sobre la estructura narrativa he insistido en señalar con general alcance el fenómeno de la absorción que la obra de arte poética ejerce tanto sobre el autor como también sobre su lector, incorporándolos, ficcionalizados, al espacio imaginario en que dicha obra consiste, de modo que ambos pasan a ser, igualmente, personajes del cuento. Quizá los otros personajes, los propiamente dichos, cuyas vidas y acciones tejen la trama del relato (o de la pieza dramática, o del poema heroico) sean, como tantísimas veces acontece, figuras históricas de bien conocida biografía y perfil humano; quizá, aunque no los conozcamos, respondan en su pergeño a modelos reales que ha estudiado el autor; quizá éste, el autor mismo con sus condiciones y circunstancias verdaderas, se ha hecho sujeto de la narración como protagonista, como figura secundaria o como mero espectador que observa y anota; pero en todo caso, sea Napoleón o sea don Benito Pérez Galdós, el ente de ficción animado en las páginas del libro se ha separado y diferenciado de cualquier hombre real. Con referencia a las novelas de este último, he mostrado en mi estudio sobre los narradores de la serie *Torquemada* que, en efecto, el "autor", aun el que funciona a la manera de un dios situado por encima de todas las limitaciones humanas, se inmiscuye dentro del campo magnético de la novela y entabla allí diálogo con el lector, haciéndole participar asimismo en el curso de la acción. Pues también el lector cumple una función esencial en la creación poética de la que es destinatario, y para cumplirla debe transformarse adquiriendo a su vez entidad ficticia, es decir, desprendiéndose de la contingencia de cualquier individuo particular que efectivamente lee o puede leer la obra en cuestión para quedar proyectado dentro de su marco, donde entabla contacto con el autor por referencia a los demás personajes. Así, he destacado en dicho estudio momentos en que el autor dialoga con sus lectores en un plano de realidad fingida a propósito de la muerte de un personaje ya conocido de ellos, cuya noticia les da disculpándose por hacerlo de sopetón; o bien los considera víctimas posibles y eventuales de las malas artes del implacable usurero...

Las novelas de *Torquemada* presentan las relaciones del narrador con sus personajes y, por mediación de ellos, con su lector, en una gran diversidad de caminos. Pero hay en el orbe novelístico de Galdós, tan variado en recursos, un caso particularmente curioso donde, con la elegancia de perfecta demostración matemática, queda muy de relieve la transformación de ese autor omnisciente en un personaje ficticio más. Me refiero a *El amigo Manso,* singularísima novela a la que Ricardo Gullón consagró un magistral estudio cuya dedicatoria le debo y agradezco. En tal novela, el autor ese que todo lo sabe y todo lo ve, que domina como demiurgo su propia creación, ha quedado al margen o, mejor dicho, aparece en el cuadro del relato traído de la mano por el narrador principal, quien por su parte es—y expresamente se declara ser—un mero ente de ficción. Recuérdese: su primer capítulo, titulado "Yo no existo", elabora este aserto del epígrafe con las palabras iniciales siguientes, que de entrada resultan chocantes y tienen que sorprender en la pluma de un escritor "realista": "Declaro—dice su personaje—que ni siquiera soy el retrato de alguien, y prometo que si alguno de estos profundizadores del día se mete a buscar semejanzas entre mi yo sin carne ni huesos y cualquier individuo susceptible de ser sometido a un ensayo de vivisección, he de salir a la defensa de mis fueros de mito... Soy—continúa diciendo—una condensación artística, diabólica hechura del pensamiento humano (*ximia Dei*) ... Quimera soy, sueño de sueño y sombra de sombra, sospecha de una posibilidad". En seguida va a aparecer el autor: "Tengo yo un amigo—añade el personaje inexistente—que ha incurrido por sus pecados... en la pena infamante de escribir novelas... Este tal vino a mí hace pocos días, hablóme de sus trabajos, y como me dijera que había escrito ya treinta volúmenes, tuve de él tanta lástima que no pude mostrarme insensible a sus acaloradas instancias. Reincidente en el feo delito de escribir, me pedía mi complicidad para añadir un volumen a los treinta desafueros consabidos", etc. Según puede verse, se trata aquí de don Benito Pérez Galdós, ficcionalizado, como es Miguel de Cervantes Saavedra quien, ficcionalizado, se pasea, en el capítulo IX de la primera parte del *Quijote,* por el Alcaná de Toledo. Y luego, al final de la novela, cuando el amigo Manso, protagonista-narrador, debe morir, acude de nuevo a los buenos oficios del autor omnisciente para informarnos de que "El mismo perverso amigo que me había llevado al mundo sacóme de él ... 'Hombre de Dios—le dije—, ¿quiere usted acabar de una vez conmigo y recoger esta carne mortal en que, para divertirse, me ha metido? Cosa más sin gracia ...' ". Es decir, que el personaje se encara con el autor creador suyo para pedirle que lo mate.

¿No tenemos aquí ya, con pleno desarrollo, la original idea en que basaría Unamuno su "nivola" *Niebla*? Si mal no recuerdo, dos artículos había dedicado en su día Unamuno a comentar, bajo el título de *El amigo Galdós,* esta novela de 1882, sin reparar en el artificio con que su trama está presentada y desenvuelta. Y Gullón destaca otros testimonios de la impresión que le había producido, aunque callara siempre el motivo básico de su interés. Cierto que Galdós no había dado a este artificio la profundidad teorética ni la trascendencia filosófica que Unamuno había de infundirle, sino que lo empleó con humor ligero, muy según su personal temple; pero tampoco es menos cierto que, en cuanto técnica novelística, la relación entre Manso y don Benito es exactamente la misma que entre Augusto Pérez y don Miguel. (Detrás de ambos, claro está, se encuentra la confrontación de don Quijote en la segunda parte de su historia con las historias, verdadera y apócrifa, de sus hazañas aparecidas previamente.) Hasta podría afirmarse que, en un aspecto, hay mayor sutileza en el escritor canario que en el vasco; pues mientras éste no puede prescindir de imponernos su individualidad imperiosa hasta hacer de su personaje un monigote movido a discreción—de cuya flaqueza como novelista sacará su fuerza el filósofo—, aquél sabe echarse a un lado y prestarle al suyo autonomía, encomendando a su mediación el contacto del lector discreto con el no menos discreto autor. En el seno de la obra y por virtud suya —por su virtud estética—es donde ese contacto se entabla y adquiere eficacia significativa.

Otro ejemplo muy notable de aparición de un personaje por vías inesperadas y nuevas, entre los varios que pudieran extraerse del mundo galdosiano, es el que, en *Misericordia,* nos ofrece el caso de don Romualdo. Como todo el mundo sabe, este sujeto había sido una invención de la protagonista, Benina, quien, para disimular sus actividades mendicantes y justificar la procedencia de sus frutos ante su ama, doña Paca, "armó el enredo de que le había salido una buena *proporción* de asistenta, en casa de un señor eclesiástico alcarreño, tan piadoso como adinerado. Con su presteza imaginativa bautizó al fingido personaje, dándole, para engañar mejor a la señora, el nombre de don Romualdo". Más adelante, la misma Benina pensará en don Romualdo y su familia como en seres reales, "pues de tanto hablar de aquellos señores y de tanto comentarlos y describirlos había llegado a creer en su existencia. 'Vaya que soy *gilí*—se decía—. Invento yo al tal don Romualdo, y ahora se me antoja que es persona *efectiva* y que puede socorrerme' ". Pero he aquí que, avanzada la novela, un día, el día menos pensado, cuando regresa a casa, le dice doña Paca "que ha estado aquí don Romualdo". Pronto sentirá Benina que "lo real y lo imaginario se revolvían y entrelazaban en su cerebro": la invención de su mente se ha concretado y va a aparecer ahora en carne y hueso (carne y hueso de ficción), trayendo la buena nueva, es decir, la noticia de esa herencia que sacará de penas, fatigas y miserias a la familia. Don Romualdo es, pues, una figuración de la fantasía de un personaje ficticio que se materializa y adquiere cuerpo en el mismo nivel de realidad imaginaria donde viven y se mueven los demás personajes de la novela; es un infundio, pero un infundio que, desde la cabeza de quien lo concibió, pasará a entrar en el juego, introduciendo un factor autónomo capaz de alterar decisivamente el destino de las existencias individuales implicadas en la trama novelesca.

Nadie ignora que el tema de la fantasía como fuerza creadora, asociado muchas veces a la ceguera física y en contraste con ella, es uno de los más frecuentados por Galdós, en cuya pluma recurre siempre de nuevo. La misma Benina, en *Misericordia,* es para Almudena una belleza arrebatadora (como para Pablo, hasta haberse operado de la vista, fue Marianela belleza perfecta); y por cierto que el narrador calificará la aparición de don Romualdo de "maravilloso suceso, obra del subterráneo genio *Samdai*", esto es, del fabuloso rey de *baixo terra,* en cuyos poderes cree el mendigo árabe. Pero en este último caso la creación de la fantasía resulta, por un lado, mucho más completa de lo ordinario, pues surge no en el autoengaño de la ilusión, sino en un deliberado engaño, aunque piadoso y bien intencionado, de Nina, al que, sin embargo, vienen a mezclarse luego ciertos estímulos del deseo ilusorio que ella trata de combatir con pensamientos sobrios: "No hay más don Romualdo que el pordiosero bendito..."; y, por otro lado, la figura confeccionada en frío dentro de la mente de un personaje termina por incorporarse, tomar sustancia y convertirse ante sus propios ojos en personaje real, no en mera alucinación. Tampoco estamos aquí en presencia de ese tratamiento ambiguo que, de mano maestra, suele dar Galdós a las fantasías de sus personajes, colocándolas en el doble plano de la anomalía psíquica y de la verdad metafísica (piénsese, por ejemplo, en las conversaciones del niño Luisito Cadalso con Dios padre en *Miau*), sino que esta vez se atiene a la que pudiéramos considerar explicación realista de los hechos, y sólo a ella, confiando a las contingencias del imprevisible azar, a una inverosímil aunque muy posible casualidad, a uno de esos golpes de teatro con que la vida nos sorprende en ocasiones, el hacer buena la mentira urdida por Benina. Pues resulta que don Romualdo existe de veras; y no sólo existe, sino que, además, viene en efecto a traerle a aquella pobre casa el bienestar soñado... La ironía está en que, para quien había inventado la mentira creyendo y no creyendo en ella, para la heroica y santa Benina, ese bienestar que su don Romualdo trae se mudará, como los tesoros del ciego Almudena, en amargo fruto de desengaño e ingratitud. ¡Estupenda sabiduría la de nuestro autor "omnisciente" que, con arte tan consumado y sin alarde alguno, hace brotar así un personaje de la cabeza de otro, que resultará a la postre inocente víctima de su propia creación!

Estas ligeras anotaciones apenas se proponen tocar, acá y allá, el asunto de la relación entre autor, personaje y lector en la imponente obra novelística de Galdós, quien, como todos los grandes clásicos, deja tela cortada para generaciones sucesivas de comentaristas y críticos.

CONMEMORACIÓN GALDOSIANA

Cuando, pasado el juvenil afán que descubre continentes nuevos en un leer insaciable y sin discernimiento, quise, apenas remansado el frenesí de las lecturas, definir mi conciencia literaria en una postura activa de estética beligerancia, prevalecía en los medios intelectuales españoles un juicio desfavorable hacia Galdós. Este juicio había sido formado por la generación del 98 y—salvo actitudes individuales más o menos ilustres, pero que no alcanzaban a tener significación de grupo—no había sido rectificado por la generación siguiente. Estábamos viviendo la reacción que inevitablemente sigue al auge de una fuerte personalidad: la de Galdós había llenado toda una época bajo el doble signo de la autoridad espiritual y de la popularidad; y si le era disputada ahora la primera, seguía la segunda calentando su noble vejez, donde la apariencia impasible, ciega y taciturna, guardaba un mundo de experiencias cuya riqueza nadie desconocía.

Este mundo tenía, sin embargo, que resultar odioso a la sensibilidad arisca de la generación del 98, y tampoco era probable que la nuestra, incipiente, encontrara con él concordancia alguna: los ideales estéticos que por aquellos días se hallaban en vigor, y pretendían imponerse con energía incontrastable a las imaginaciones juveniles, más bien aconsejaban repelerlo. Por encima de la múltiple y bullente contradicción de escuelas y de tendencias, y hasta de modas, podía desprenderse de su conjunto la nota común de una acentuación de los valores formales acompañando o sirviendo a una pretensión de *pureza* en que se retorcía hasta la contorsión, o se simplificaba hasta el amaneramiento, una literatura triturada y ya casi disuelta. Tales condiciones no eran, por cierto, las más adecuadas para apreciar a Galdós en simpatía, y ya podíamos algunos tener la sensación de su magnitud, que no por eso había de interesarnos. Nuestras convicciones teóricas impedían que nos interesara...

Ha sido menester que, con el tiempo y todo lo que el tiempo ha traído, se deshagan las posiciones de escuela, decaigan las recetas y se olvide su secuela de prejuicios para que ahora se nos aparezca Galdós, en el centenario de su nacimiento, revestido de una grandeza que había de imponerse a las pasajeras beligerancias de grupo literario y a las actitudes nacidas de un credo estético, porque radica en la intrínseca calidad de su obra. Ingente, inconmovible, ahí está, con sus excelencias y defectos, sostenida en sí misma.

Los reproches principales que sus detractores le dirigieron podrían reducirse a estos dos: descuido en el estilo y vulgaridad de espíritu. Que el estilo galdosiano es descuidado a veces, y hasta con demasiada frecuencia, ¿quién lo negará? Su prosa pierde en ocasiones el vigor, esa característica lozanía de sus buenos momentos, para hacerse desmayada, floja y hasta ramplona, cayendo en chapucerías increíbles. Sin embargo, justo es reconocer que no es el descuido lo que da la tónica de esa prosa; por lo común se mantiene en un despliegue terso, con un empaque y una sencilla dignidad que le otorgan calidad artística; y sus caídas están compensadas por hallazgos de estilo y, sobre todo, de imagen, donde la corriente fácil, suelta y continua del discurso se detiene complacida en un juego lleno de encanto. Muchos de esos hallazgos consentirían, dada su consistencia, ser aislados, extraídos del contexto en que se encuentran, segregados, sustantivados, y entonces habrían de resplandecer en su valor absoluto. ¡Qué suma poética no hubiera podido componerse con esos materiales, que, en insospechadas concreciones imaginistas, arrastra como al descuido la densa prosa del narrador! Pero tales concreciones en que se solidifica el idioma constituyen ahí un lujo, un rico adorno, un maravilloso accesorio, y no tendría sentido apreciarlas por sí solas desentendiéndose del medio en que han crecido, y que es, sin duda, lo principal. Extraviado sería buscar los valores básicos de la creación galdosiana en esos aciertos de detalle en lugar de hallarlos en el complejo de significaciones estéticas donde arraiga el género literario "novela" y a que se dirige con seguridad infalible la intención del autor. Pérez Galdós es eso en esencia, y no otra cosa: un novelista. Y eso, novelista, lo es con plenitud. En tal plenitud se esconden, por cierto, la razón y la sinrazón del segundo gran reproche que se le ha dirigido: la vulgaridad de su espíritu. ¡Qué no se habrá dicho en vituperio de su inspiración mesocrática! Se ha adjetivado su estilo, su alma de escritor, con el vejamen de "garbancero", esto es, vulgar, mediocre, alicorto, condiciones aludidas por el símbolo grotesco del garbanzo, base del cotidiano sustento de las clases pobres en la España de su tiempo... Pero, si bien se mira, esa calificación no apunta al escritor mismo tanto como a la sociedad que utiliza como materia para desenvolver sus fábulas; o, mejor dicho, afecta al escritor en cuanto le censura su complacencia en el empleo de semejantes materiales. Si comparamos la humanidad galdosiana con la catadura de los personajes que habitan, por ejemplo, los libros de Baroja, el novelista *stricto sensu* de la generación del 98, nos saltará a los ojos el contraste, y podremos hacernos cargo del fondo—no meramente estético—de la repugnancia entre ambas sensibilidades. Los personajes barojianos pertenecen siempre a los aledaños de la sociedad: son rebeldes de toda laya, desarraigados, hampones; o bien, extranjeros; o solitarios extravagantes; o seres elementales. La intuición del sentido de la vida anclada en una actitud al margen de la sociedad o enfrente de ella choca profundamente con la intuición galdosiana del sentido de la vida, apoyada en la plenitud de la realidad social y organizada sobre su centro de gravedad, cuya normal disposición se había convertido en mediocre por efecto del curso decadente de la historia de España.

Observadores menos exasperados, por temperamento o por formación, ante la mediocridad del modelo galdosiano han podido apreciar a través del realismo del escritor su hondo sentido humano, su piedad profunda, muchas veces tornasolada en tierna ironía, hacia ese pueblo modesto, alegre y desdichado, cuyo destino conmueve desde el ángulo de su creador, no en sensibleras blanduras, sino con el estremecimiento que siempre produce la percepción del destino. Por eso han errado quienes, dejándose engañar por su realismo y su ironía, quisieron caracterizar a Galdós por el aspecto costumbrista de su popularismo. Los ribetes pintorescos que nunca faltan en su obra no autorizan a considerarlo un costumbrista. El costumbrista se detiene en lo pintoresco sin pasar de la superficie: tan pronto como se rompe su costra y se penetra en un estrato más o menos profundo de la realidad queda anulada la trivial manera de goce estético unida a esa modalidad literaria de tono menor. Y en Galdós lo pintoresco de que tanto abunda no es sino cobertura de esa humanidad viva, que constituye el verdadero centro de interés de su creación artística.

Porque—repitámoslo—Galdós es, por excelencia, un novelista, y toda su obra se encuentra orientada en el sentido de este género literario tan ambiguo, y cuya definición se encuentra todavía por hacer, siquiera en medida satisfactoria, a menos que uno se resigne a considerarlo como un "cajón de sastre" o no se resista a circunscribirlo en forma tal que rebasen y queden fuera de su ámbito teórico sectores enteros de la novelística. Para quien se propusiera en serio hallar el preciso contorno de género tan vago en apariencia, la producción galdosiana le suministraría apoyaturas de las más completas. Pues ella realiza una manifestación pura de "novela" al proponerse alcanzar sus objetivos estéticos desprendiéndolos de la intuición del sentido de la vida humana.

Aquel censo de los personajes galdosianos emprendido por un grupo de sus titulados amigos, y que nunca llegó a concluirse, o al menos nunca fue publicado, sistematizaría y reduciría a cifras la impresión que todo lector saca de los libros de Galdós como de un mundo lleno de humanidad auténtica. Es de veras asombroso que esa multitud no se resuma en la repetición de unos cuantos tipos construidos: cada personaje se encuentra, por el contrario, perfectamente individualizado; su personalidad no se deja reducir a ningún denominador común; brota de dentro a fuera y es distinta de sus circunstancias, anécdotas y peripecias; éstas no sirven —con toda su complejidad y aun pintoresquismo—más que para hacer que vaya cumpliéndose el destino del personaje, y ello de manera tal que su espeluznante inexorabilidad aparece envuelta en los ropajes del azar, del error, de las pasiones, de los sentimientos, y—lo que es más hondo y serio—toma para realizarse la forma del libre albedrío.

Mas no se trata sólo de los destinos individuales: se trata de familias enteras; y no sólo de familias, sino también de la comunidad política misma. Así los *Episodios nacionales* se proponen captar el sentido de la vida en su expresión más apretada, más aguda: como historia. Quizá no constituirán a ratos lo mejor de su obra; pero, en su conjunto, son representativos en grado extremo de la actitud de Galdós como novelista. Los *Episodios* no pertenecen al subgénero de la novela histórica, que toma la historia como un marco externo donde encuadrar el desenvolvimiento de unas vidas humanas; en ellos son las vidas humanas mismas las que, en su despliegue, tejen la historia; y ésta, sobre la única materia de las pobres existencias individuales, proyecta su sentido más allá de cada una, hacia un plano trascendente.

¿Cómo podía pretenderse así que el creador de una obra preocupada, en términos tan dilatados, por dar solución al problema estético de la vida humana se distrajera del centro de su interés y pusiera la atención en los primores del estilo, que persiguen resultados artísticos de muy distinta índole?

Y si, desde otro punto de vista, es legítimo proponerse los objetivos esenciales de la novela sacando sus materias de existencias antisociales o marginales, cuyo interés psicológico será probablemente superior, no puede fundarse reproche contra Galdós en lo que es precisamente base de su grandeza: haber tomado en sus manos poderosas el gran torso de la sociedad en que vivía y haber trabajado con su realidad plena, extrayendo de su mediocridad su espíritu.

EL ARTE DE NOVELAR EN UNAMUNO

El escritor de "nivolas"

Por su aire de ocurrencia, de salida ingeniosa y extravagante, la denominación de "nivolas" que Unamuno propuso, alternativamente, para sus novelas se ha quedado grabada en la imaginación popular. Una feliz ocurrencia, sin duda; pero, como siempre en Unamuno, el juego de palabras implica algún significado de alcance mayor, expresado bajo forma ambigua. En este caso su punto de partida fue la respuesta chusca de un poeta andaluz a cierta objeción academicista. Él mismo lo refiere en *Niebla*: "Pues le he oído contar a Manuel Machado, el poeta, el hermano de Antonio, que una vez le llevó a don Eduardo Benot, para leérselo, un soneto que estaba en alejandrinos o en no sé qué otra forma heterodoxa. Se lo leyó, y don Eduardo le dijo: 'Pero ¡eso no es un soneto!...' 'No, señor—le contestó Machado—; no es soneto, es... *sonite*'. Pues así con mi novela, no va a ser novela, sino..., ¿cómo dije?..., *navilo*..., *nebulo*, no, no; *nivola*, eso es, ¡*nivola*! Así nadie tendrá derecho a decir que deroga las leyes de su género... Invento el género, e inventar un género no es más que darle un nombre nuevo, y le doy las leyes que me place". Si el poeta modernista afirmaba, con altivez disimulada en chiste, su libertad creadora frente a las estrecheces de la preceptiva, nuestro "nivolista" no sólo recaba el derecho de todo escritor a ensayar novedades que alteren las estructuras formales vigentes, sino que con ello apunta también a la índole particular del género novelesco, tan refractario a dejarse definir por características técnicas, por las notas de una estructura externa.

Hoy, ante la diversidad asombrosa de sus especímenes, resulta bastante fácil percatarse de ello; pero no lo era tanto cuando, en 1914, publicó Unamuno su *Niebla* con el rótulo de *nivola.* Prevalecía por entonces una tradición, constituida por las grandes novelas europeas del siglo anterior, cuyo conjunto magnífico fijaba un canon muy respetable. Los dechados del realismo se imponían con autoridad, y el mismo Unamuno, en 1897, había publicado su primera novela, *Paz en la guerra,* tan unamunesca y tan noventaiochista como en muchos aspectos es, dentro de esa tradición literaria. En el repaso de su obra novelesca fechado en 1935, al hacer la "Historia de *Niebla*", cuenta él mismo:

> ... escribí mi *Paz en la guerra,* una novela histórica, o mejor historia anovelada, conforme a los preceptos académicos del género. A lo que se llama realismo.

Pero pronto se percató de que a sus necesidades expresivas no convenía en manera alguna esa forma carnosa, extensa y demorada de la proyección imaginativa, esa técnica particular, y decidió buscar para sus escritos narrativos una forma propia. Compuso sus novelas como Dios le dio a entender, y, para curarse en salud de previsibles reproches, las bautizó de "nivolas"; un poco tarde, sin duda, pues "nivola" sería ya *Amor y pedagogía,* de la que dice el autor en el prólogo a la primera edición (1902):

> Es la presente novela una mezcla absurda de bufonadas, chocarrerías y disparates, con alguna que otra delicadeza anegada en un flujo de conceptismo.

Y a su protagonista lo calificará luego de "nivolesco" retrospectivamente.

Preocupado con su propia obra, reivindica la facultad que el autor tiene de adaptar para su uso las condiciones formales de los géneros establecidos (¿no había pretendido acaso Cervantes que la novela es épica en prosa?); pero por debajo de aquel juego verbal unamuniano trasparece el hecho básico de que, pese a los prestigios recientes de ese género espurio, la "novela" carece en verdad de una determinación formal que la defina. A diferencia del soneto, cuya elasticidad, a prueba de alejandrinos y de estrambotes, es con todo limitada (y sería absurdo hablar de un soneto en prosa, como se habla de novela en verso; o—por ejemplo—de un soneto de doce estrofas), apenas hay, en cambio, "forma" cuya aplicación a una novela resulte inconcebible.

Qué se entiende por novela

Aun si quisiéramos reducirla a los vagos términos que la definen como relato imaginario en prosa, encontraríamos que cada uno de ellos reclama excepciones o se presta a objeción. Puede haber—dicho queda—novelas en verso; no faltan las que relatan hechos sucedidos más que imaginados; y otras que, en vez de relatar, dramatizan, o usan formas tales como la dialogada, la epistolar, etc. A falta, pues, de un cuadro de notas formales al que poder atenernos, más nos valdrá buscar su concepto por el camino de sus contenidos intencionales, aunque este camino haya de conducirnos a un terreno que no es, precisamente, o no lo es todavía, el del arte literario, sino más bien el de las experiencias radicales que lo nutren.

La novela pretende, en efecto, representar la vida humana con el propósito de hacer evidente su sentido, es decir, interpretándola. Y apenas afirmado esto, ya se advierte que ello vale por igual, no sólo para lo que suele entenderse por novela, sino también para cualquier clase de relato, desde el cuento folklórico hasta el reportaje periodístico; y que, además, puede aplicarse también a un arte formalmente constituido, como es el arte dramático. De hecho, la representación teatral arranca con toda naturalidad del relato de viva voz, en cuyos pasajes más intensos la mímica suele venir en ayuda de la palabra, actualizando la acción referida.

En cuanto a la novela, es, desde luego, relato *escrito.* A pesar de los casos intermedios o híbridos: las novelas dialogadas o dramatizadas, por una parte, y por la otra el teatro "para ser leído"; a pesar del problema de clasificación que, desde *La Celestina* hasta algunas piezas de Valle-Inclán, nos plantean ciertas obras, no hay dificultad ninguna para distinguir en principio la novela del teatro, configurado éste por las necesidades de la representación escénica. La obra de teatro está concebida y redactada para representarse; mientras que la novela no se escribe como referencia y ayuda de la memoria, sino con destino a la lectura solitaria. Las epopeyas y otros poemas antiguos, o los cuentos tradicionales cuyas colecciones han llegado a nosotros, se fijaron en caracteres mediante las artes auxiliares de la caligrafía por puro recurso, pues el vehículo propio de su comunicación es el recitado, a cuyas exigencias responden sus técnicas respectivas: esas simetrías formales y esas reiteraciones que constituyen la estructura del cuento, tanto como los artificios de la versificación para el poema. Recuerdo a este propósito la explicación que Jorge Luis Borges me dio cuando, no hace mucho, quise saber por qué había regresado recientemente de la prosa al verso: perdida la vista, me confesó, encontraba en la medida, ritmo y rima una mayor comodidad para componer *in mente*... La prosa, como instrumento de expresión artística, no está sujeta a tales reglas externas, perchas útiles de la memoria: requiere la lectura, y éste es, por lo común, ejercicio solitario.

Así, el novelista se propone entablar una comunicación directa con el lector individual, en la manera que Unamuno precisa cuando, refiriéndose a la primera edición de *Amor y pedagogía,* que había dedicado "Al lector", explica en el prólogo a la segunda:

Al lector y no a los lectores, a cada uno de éstos y no a la masa—público—que forman. Y en ello mostré mi propósito de dirigirme a la íntima individualidad, a la individual y personal intimidad del lector de ella, a su realidad, no a su apariencialidad. Y por eso le hablaba a solas los dos, oyéndonos los respiros, alguna vez las palpitaciones del corazón, como en confesonario. Que ésta no es obra de púlpito. Ni de tribuna política. Lo que le libra, en lo posible, de cierta retórica inevitable en esas actividades. Obra de confesor y no de publicista. De confesor y de confesado.

Nada mejor que estas palabras, tan llenas de sentido, para aclarar el concepto de la novela moderna, desarrollada dentro del ambiente cultural de la burguesía individualista. Y no será inoportuno recordar aquí cómo un celebrado autor dramático del siglo XVII, Luis Vélez de Guevara, se regocija, en el "Prólogo a los mosqueteros de la comedia" que escribió para su *Diablo Cojuelo,* de que este libro esté fuera de la jurisdicción del público teatral, ya que

aun del riesgo de la censura del leello está privilegiado por vuestra naturaleza—dice a los tales *mosqueteros*—, pues casi ninguno sabe deletrear; que nacistes para número de los demás y para pescados de los estanques de los corrales, esperando, las bocas abiertas, el golpe del concepto por el oído y por la manotada del cómico, y no por el ingenio.

El contraste entre espectador y lector queda ahí bien marcado, como en cierto modo lo marca por su parte Cervantes mismo en el prólogo a la edición de sus comedias y entremeses; Cervantes, a quien debe reputarse y se reputa creador de la novela moderna.

Sentido histórico de la novela moderna

En otro lugar he insistido sobre la relación que, a mi entender, existe entre el crecimiento de ésta y la crisis religiosa de la modernidad, señalando cómo lo que hoy entendemos por "novela" se inicia en el Renacimiento, sufre una revolución decisiva en manos de Cervantes y se expande gloriosamente durante el siglo XIX. Podrá tener sus orígenes en el cuento, y sin duda comparte con él materiales e intención última; pero la novela moderna, en lugar de transmitir las interpretaciones arcaicas de la existencia humana que formula el mito y conserva el folklore, o de ilustrar mediante "castigos y documentos" una doctrina de vida dogmáticamente promulgada, trata de escrutar la vida misma en busca de su sentido arcano, e invita al lector—al lector solitario, en su intimidad—a participar en ese escrutinio; a confesarse con el autor, como Unamuno dice; con el autor, quien, a la vez que confiesa al lector, se confiesa con él. De este modo, en la moderna cultura burguesa e individualista, de letra impresa, la novela vino, no ya a ofrecer aquellas distracciones frívolas de que se le hacía reproche, lo cual hubiera sido grave, sino—lo que lo es más—a usurpar la dirección espiritual y cura de almas en una sociedad abierta, desquiciada y rebelde. ¿Qué de extraño tiene el vituperio de que ha sido objeto constante por parte de la autoridad tradicional e institucionalizada a cuyo cargo estaba la interpretación auténtica de los destinos humanos? ¿Quién se sorprenderá de su mala fama, de su dudoso y siempre combatido prestigio? El nuevo género literario con tan arrolladora pujanza desarrollado durante la Edad Moderna viene no tanto a satisfacer demandas del gusto como una necesidad radical del espíritu en su clamor por respuesta a las cuestiones últimas de la existencia, cuando se ha resquebrajado el sistema dogmático de creencias que ofrecía a los cristianos una explicación congruente del mundo.

Novela y filosofía

A esa misma necesidad acude también la filosofía moderna, la que ha dejado ya de ser *ancilla theologiae*; y por eso he podido comparar en otra oportunidad la revolución realizada por Cervantes en el campo de la novela con la que luego cumpliría Descartes en el de la especulación filosófica: fieles católicos uno y otro, ponen ambos entre paréntesis—como luego diría Edmund Husserl—todo el saber tradicional, práctico o teórico, para reconstruirlo a partir de la conciencia individual, método que podrá conducir a una revalidación de su entera fábrica (y tanto en Cervantes como en Descartes el examen libre confirma las verdades tradicionales), pero que a lo mejor pudiera también demolerla. Por sus respectivas sendas, la novela moderna y la filosofía moderna (que en el siglo XIX se subordinará a la ciencia como esas madres a quienes una hija próspera reduce al papel ancilar) han desempeñado función cultural análoga, si bien la especulación filosófica, soberbia heredera de la teología, entronizada en las universidades, recabará ahora para sí todo el antiguo prestigio, quedando siempre malparada la novela en calidad de inconducente pasatiempo y vana distracción de gente ociosa. No obstante lo cual, todos los grandes novelistas han tenido, desde Cervantes, clara conciencia del alcance mayor de su actividad, la han desempeñado muy seriamente y han sentido el peso de la responsabilidad vinculada a su misión. No otra cosa fue, sin duda, lo que indujo a Zola en el error de pretender llevar su creación novelesca al plano, entonces considerado como supremo, de la ciencia experimental, convirtiéndola en sociología.

Unamuno, filósofo él, y buen conocedor además de la filosofía académica tanto como de la triunfante sociología—sabido es que tradujo todo Spencer para las ediciones de La España Moderna—, se burlará del empaque científico, y ridiculizará el método, ídolo universitario, fetiche escolástico, que, encorsetando el pensamiento, lo esteriliza dentro de sistemas tan herméticos como recíprocamente incompatibles.

Novela y filosofía en Unamuno

No es ya que recabe la autonomía y afirme la dignidad de la creación novelesca frente a la filosofía o la ciencia, sino que con irresistible sarcasmo destituye Unamuno las pretensiones—para él fútiles—de todo pensamiento sistemático. La denigración de esas pretensiones es uno de los temas frecuentes y siempre repetidos a lo largo de la obra unamuniana, como que está relacionado con el núcleo mismo de su concepción original del hombre y pertenece a la esencia de su personal filosofía. Aparece ya, y nada menos que en calidad de motivo central, en *Amor y pedagogía,* la primera novela en que, habiendo abandonado los supuestos realistas de *Paz en la guerra*, procura acomodar el género novelístico a las necesidades de expresión de su propia visión del mundo. En el prólogo de "esta novela o lo que fuere, pues no nos atrevemos a clasificarla", declara que a muchos ha de parecerles

> un ataque, no a las ridiculeces a que lleva la ciencia mal entendida y la manía pedagógica sacada de su justo punto, sino un ataque a la ciencia y a la pedagogía mismas, y preciso es confesar que, si no ha sido tal la intención del autor—pues [agrega socarronamente] nos resistimos a creerlo en un hombre de ciencia y pedagogo—, nada ha hecho, por lo menos, para mostrárnoslo.

La novela misma constituye, en efecto, una burla cruel contra el cientificismo y, más radicalmente, contra el propósito de regir la conducta por normas de razón. Y en cuanto a los "Apuntes para un tratado de cocotología", con sus prolegómenos, historia, razón del método, etc., son broma tan pesada que seguramente nunca ha querido tomársela en todo su alcance y se ha preferido trivializarla bajo el dictado impreciso de "paradojas" o de "cosas de don Miguel". Sin embargo, esas facecias revelan una preocupación capital, que reaparece constantemente en la obra de Unamuno, formulada en todos los tonos. Un cuento de 1915, "Don Catalino, hombre sabio", vuelve a llevarla a la ficción satírica:

Don Catalino cree, naturalmente, en la superioridad de la filosofía sobre la poesía, sin habérsele ocurrido la duda—don Catalino no duda sino profesionalmente, por método—de si la filosofía no será más que poesía echada a perder,

comienza diciendo. Y aunque esa convicción suya se encuentra repetida en sus escritos de diversos géneros, desde muy temprano (*Amor y pedagogía* se publica en 1902) hará de la novela instrumento idóneo, tanto o más que del ensayo o de la poesía, para dar expresión a intuiciones fundamentales que—piensa él—un tratado sistemático no conseguiría apresar nunca en su palpitación viva; pues el tratado sistemático sólo sirve para capturar en sus redes pajaritas de papel; es decir, no sirve sino para perder el tiempo. Como una vez más dirá en 1927:

El sistema—que es la consistencia—destruye la esencia del sueño y con ello la esencia de la vida. Y, en efecto, los filósofos no han visto la parte que de sí mismos, del ensueño que de ellos son, han puesto en su esfuerzo por sistematizar la vida y el mundo y la existencia.

Por consiguiente, su desconfianza frente a las especulaciones racionales no es, como alguien ha conjeturado, circunstancial, ni se debe a la estrechez de un concepto de razón que en seguida había de superarse en el campo académico de la filosofía profesional, pero cuya superación y amplificación quedó fuera de su alcance; no es que echara mano de la novela por mero recurso; ni tampoco que la parangonara con la filosofía sistemática como vía alternativa para expresar las mismas intuiciones fundamentales, según vendría a hacer más tarde Sartre, simultaneando tratados filosóficos y ficciones literarias. En Unamuno la novela es el vehículo más a propósito para interpretar la realidad, y por fidelidad filosófica hacia la esencial índole de esa realidad se atiene a ella. En una carta a Warner Fite, el traductor norteamericano de *Niebla*, se refiere Unamuno al tema del ente de ficción como realidad autónoma, y explica que

> lo expuse en una novela porque no lo habría podido hacer en un tratado didáctico de filosofía, donde la argumentación, a falta de fantasía, pierde toda su fuerza. Y ello aun a riesgo de que digan de mí, como de Royce, que he escrito libros de filosofía y... ¡novelas! Pero yo sé que la más honda filosofía del siglo XIX europeo hay que buscarla en novelas. ¡Pobres filósofos sin novelería!

Estamos, como puede verse, en el polo opuesto del *roman expérimental* de Zola, cuya intención era hacer ciencia de la novela y reducir así a cosa la vida humana; pues, como arguye Unamuno dicutiendo con su citado personaje de Catalino,

> ustedes los sabios estudian las cosas, pero no a los hombres.... "Hombre, hombre, amigo don Miguel ... —replica el personaje a su autor— ... Hay antropólogos, es decir, sabios que se dedican a estudiar al hombre ... ". "Sí, pero como cosa, no como hombre".

Confluencia de novela y filosofía

A la fecha de hoy, difícilmente le parecerán a nadie extravagancias, o excentricidades, las posiciones de Unamuno frente a la creación literaria en relación con la filosofía especulativa. El desarrollo de ésta ha conducido por diferentes caminos y bajo rótulos distintos a lo que genéricamente acostumbra designarse por existencialismo: a esa ampliación del concepto de lo racional por la que, según proponía Ortega, pasa a abarcar también lo vital e histórico, haciendo del sujeto viviente que se encuentra "tirado" en este mundo (del unamunesco "hombre de carne y hueso" con su clamor de eternidad, y no sólo del yo pensante cartesiano) punto de partida, y aun centro, para la comprensión del universo abierto a su conciencia. Esta filosofía, dentro de cuyo ámbito suele colocarse a Unamuno, casi siempre con título de precursor, avanza hasta tocar el límite de toda posible expresión sistemática. Las tribulaciones de Heidegger —uno de sus mayores exponentes—con el lenguaje, el lúcido patetismo con que se esfuerza por superar la palabra, su reconocimiento de la poesía y su postulación última del silencio, abonan la actitud de nuestro supuesto precursor. ¿Acaso no había escrito él (en *Cómo se hace una novela*) que

no hay más profunda filosofía que la contemplación de cómo se filosofa. La historia de la filosofía es la filosofía perenne? ;

es decir, que la verdadera filosofía es el ensueño en que los filósofos se hacen a sí mismos, su novela.

Potencial trascendencia de la novela

Con esto hemos alcanzado un punto en que la fabulación novelesca, esa actividad de novelar tan desdeñada o denostada siempre, se coloca por encima de los ilustres géneros tradicionales. Si Cervantes quiso salvarle su dignidad asignándola, un tanto forzadamente, al épico, "que la épica tan bien puede escribirse en prosa como en verso", ahora se la sitúa en un plano superior al literario, en ese terreno celestial donde realidad y poesía se identifican; es decir, en el terreno del mito, al que pertenece por su origen. La novela, antes maltratada como infame, se convierte así en instrumento de un conocimiento superior, capaz de comunicar en forma inmediata a los lectores (como a los oyentes el cuento folklórico, derivado de arcaicas mitologías) una intuición del sentido de la existencia humana.

El interés fascinante del cuento, de todo cuento, aun del más vulgar chisme de vecindario, radica en eso: es un criptograma donde querríamos poder leer nuestro propio destino, descifrar el secreto de nuestro ser. Y habría que pensar equivocado a Unamuno cuando se dirige contra esos lectores ansiosos de conocer el desenlace del argumento, si él mismo no hubiera profundizado y trascendentalizado su trivial curiosidad en el análisis que hace ahí mismo, en *Cómo se hace una novela.*

Como esto que escribo, lector, es una novela verdadera, un poema verdadero, una creación, y consiste en decirte cómo se hace y no cómo se cuenta una novela, una vida histórica, no tengo por qué satisfacer tu interés folletinesco y frívolo. Todo lector que leyendo una novela se preocupa de saber cómo acabarán los personajes de ella sin preocuparse de saber cómo acabará él, no merece que se satisfaga su curiosidad.

En efecto, se leen novelas buscando, aunque sea inconscientemente, una respuesta a las preguntas eternas. Y es claro que el lector preocupado de saber cómo acabará él mismo, encuentra en la novela *una* respuesta, la del autor, que lo devuelve a su propia interioridad, le hace ensimismarse—a él, que sólo procuraba acaso distraerse o divertirse—y encontrar dentro de sí su propia respuesta.

Algo conviene indicar ahora respecto de esa respuesta ofrecida por el autor. En el relato tradicional, mítico, luego disuelto en folklore, la autoridad del autor es, sin duda, muy grande, porque, siendo dicho autor anónimo y quizás colectivo, colectivo mejor que múltiple, la historia que cuenta es Historia Sagrada. Las de la Biblia han "edificado" por siglos, diversamente, a judíos y cristianos. Y si nos fijamos en otro libro, el de *Las mil y una noches*, que no es texto sagrado, sino profano, pero que elabora y configura desde una perspectiva musulmana la experiencia popular transmitida de Oriente, comprobaremos que, en conjunto, sus historias reflejan de modo consistente y con entera certidumbre la visión del mundo que es peculiar del Islam: presentan un tejido de vidas pululantes, dentro del cual la suerte de cada cual, patética, extraña, lastimera, cómica, mágica, obscena, siniestra, grotesca, opulenta, ridícula, depende de los designios inescrutables de Dios y de su incontrastable poder.

Una mañana, tras una noche deliciosa, me desperté y hallé que estaba en la última miseria,

cuenta un ... ¿protagonista?; no tal: cuenta uno, uno de tantos seres humanos como van apareciendo, y declarando su vida, por labios de otros que a su vez son figuras imaginarias de otros narradores, en un despliegue infinito y monótono como el movimiento del mar.

En la novela moderna, la que cuajó en Cervantes, el autor se ha hecho individual. No hay ya respuestas comúnmente aceptadas: no hay textos sagrados. Muerto Dios (pues, como dice Unamuno con significativo acento, "la expresión popular española es que todo dios se muere"), el hombre, abandonado en un endiosamiento triste, hecho un cristo, debe buscar salvación por sus propios medios, cumpliendo con el prójimo obra "de confesor y de confesado". O sea, indagando a fondo el sentido de la humana existencia.

Novela y tiempo

Ahora bien: dado que la novela no consiente definición por las características externas de un género literario—pues está radicada, ya lo hemos visto, más allá de la literatura y, si es que ha de cumplir su fundamental propósito, no admite sujeción a preceptiva alguna—, su única determinación formal será aquella que pueda venirle impuesta por dicho propósito; es decir, la que se derive acaso de la índole de su objeto. Y siendo este objeto la vida humana, de cuya oculta esencia pretende lograr una visión, o vislumbres siquiera, tan sólo la común estructura del humano vivir, que se da siempre como tensión en el tiempo, marcará su huella en el relato novelesco, imprimiendo sobre él un rasgo general que, por lo demás, comparte con cualquier otra clase de narración, sea oral y privada, o pública, sea escrita en carta o en una información periodística, sea verídica o mendaz. Puesto que la vida humana constituye tema de toda novela, ésta no podrá jamás eludir, por mucho que la disfrace o distuerza, la estructura cardinal de un despliegue cronológico, de una ordenación en el tiempo, sin la cual el fenómeno cuya íntima esencia se persigue no alcanzaría a representarse o suscitarse en la imaginación del lector. Un narrador cualquiera, por alejado que en su intención y en sus recursos se encuentre del campo de la creación literaria, y aun cuando sólo pretenda darle cuenta a su vecino de un suceso nimio, del más trivial acontecimiento, necesita atenerse en su relato al decurso temporal, marcando tal vez sus fases con el consabido compás de "Y entonces ... Y entonces ... Y entonces ... ". Sin esa ordenación en el tiempo, el contenido de su discurso resultará ininteligible, pues se refiere a hechos de conducta, a biografía, real o imaginaria (una distinción ésta que, desde luego, Unamuno consideraría infundada). Y cuantos alardes de ingenio, argucias y artificios ponga a contribución el novelista para eludir la forzosidad de la determinación temporal, conducirán, si son afortunados, hacia maravillas de finura técnica, pero a la postre no le habrán bastado para salirse con su intento. Escamotear la tensión en el tiempo que es inherente a la vida humana implica, en definitiva, renunciar a la novela.

Esto puede advertirse bien si observamos el esfuerzo llevado a cabo por Azorín—otra de las grandes figuras de la generación del 98—para cancelar el tiempo. Según es muy sabido, Azorín coloca a sus personajes dentro del proceso del eterno retorno, donde su presencia no significa sino mera repetición, como la de las hojas del árbol (para usar de tan ilustre metáfora); una repetición que, claro está, excluye toda singularidad auténtica. Sin duda, dicha concepción de la eternidad, que Azorín recogió de Nietzsche, presta forma intelectual idónea a su personal visión del mundo: para él, la historia se repite; su curso es pura apariencia; y ese movimiento que nosotros percibimos en dirección de la famosa flecha del tiempo no resulta ser sino cansada rotación circular, vueltas de noria, dentro de cuyos giros nuestras vidas individuales, trasunto de otras vidas ya vividas, anticipan las venideras y carecen, por tanto, de sentido propio y de sustantiva significación. Para expresar estilísticamente esta visión suya del mundo, echa mano el escritor de los conocidos recursos: insistencia sobre lo inanimado, agregación de frases breves, simples, enunciativas, sin conjunciones subordinantes; construcción paratáctica, repitiendo el contenido de cada oración en otras que sólo agregan matices mínimos; empleo sistemático del verbo en tiempo presente, o en pretérito imperfecto; y, en fin, todos los medios útiles para detener, inmovilizar o anular la acción. Con ello, como puede comprenderse, no hay novela posible, no puede haber novela. Y, en realidad, lo que nos ofrecen las supuestas novelas de Azorín es una serie de estampas cuya sucesión no aspira a sugerirnos el paso del tiempo, sino todo lo contrario, su futilidad desesperada. Estos hábiles artificios crean una prosa de belleza paralítica; pero, con todo, en aquellos de sus libros menos refractarios a la calificación de novela—*Don Juan*, por ejemplo—no alcanzan el efecto perseguido de borrar en la imaginación de los lectores la línea del tiempo que el autor se proponía confundir mediante sus saltos cronológicos y sus identificaciones del presente con el pasado, y aun con el futuro. A pesar de cuanto Azorín hace por lograrlo, no llega a impedir que don Juan, o en su caso doña Inés, o cualquiera de las demás figuras, aparezcan "situados" en un momento y pertenezcan a un presente determinado en la tensión entre pretérito y porvenir.

De igual manera, y ahora dentro de aquella tendencia estética que, mal o bien, quedó definida como "deshumanización del arte", cuando Gómez de la Serna intenta la novela, incluyendo vida humana en el mundo intemporal de los objetos inertes, vemos cómo la acción, intensa o débil, que atribuye a sus personajes arrastra a sacudones la rica balumba de las greguerías.

Volviendo ahora a Unamuno, resulta evidente que su propósito es el opuesto: su propósito consiste en nutrir, y aun atiborrar, la novela de vida humana; pero vida humana esencial, "en esqueleto, a modo de dramas íntimos" (1923); "relatos dramáticos acezantes, de realidades íntimas, entrañadas, sin bambalinas ni realismos en que suele faltar la verdadera, la eterna realidad, la realidad de la personalidad" (1934), echando para eso por la borda todo lo que sea accesorio, "dejando para otros la contemplación de paisajes y celajes y marinas". Ello corresponde perfectamente a su particular visión del mundo que, en pensador tan articulado como Unamuno, es también su expresa filosofía; y hemos de ver cómo convierte la novela, por él adaptada después de *Paz en la guerra* a las exigencias de su particular designio, en instrumento insuperable para comunicar al lector el contenido de su corazón o, mejor, de su acongojada mente.

Y, puesto que en este trabajo no nos interesa tanto el pensamiento de Unamuno según se expresa en sus novelas, como estas mismas novelas en cuanto obras de arte, procuraremos ver también cuáles han sido los efectos, favorables y perniciosos, de semejante instrumentalidad sobre la creación literaria; o, en otros términos, qué valoración puede hacerse del Unamuno novelista.

Unamuno, novelista

Decíamos antes que Unamuno se atiene a la novela no como recurso ante las deficiencias técnicas de una filosofía académica que pronto debía ampliar sus conceptos, sino por fidelidad a la índole esencial de la realidad, según él la entiende; y que él entiende esta realidad en un modo acorde con lo que hoy suele designarse bajo el nombre genérico de existencialismo. No es, pues (recuérdese la carta citada), que Unamuno escribiera libros de filosofía y ... ¡novelas! Las novelas son, en su ánimo, instrumento insuperable para comunicar su visión del mundo, dándole expresión adecuada. No cabe distinguir, por un lado, dentro de su obra, las que se llaman de pensamiento, y por el otro, obras literarias o de imaginación—novela, teatro, poesía—, montadas acaso sobre el esqueleto de aquellas especulaciones; sino que todas sus actividades arrancan por igual del centro mismo de su personalidad: no sólo aquellos ensayos que más podrían considerarse filosóficos, aunque nunca "sistemáticos"; también sus novelas, sus versos, sus artículos de diario, sus cartas particulares; y no ya sus manifestaciones escritas, sino también las verbales, sus conversaciones, sus actos y actitudes, sus exteriorizaciones todas... Es cierto: dentro del campo existencialista, otro filósofo, el mencionado Jean-Paul Sartre, en quien concurren igualmente las dotes de literato extraordinario, simultanea el trabajo teorético con la redacción de novelas, cortas y largas, piezas de teatro y hasta guiones cinematográficos donde trata de expresar, en forma distinta, sus intuiciones y concepciones fundamentales; pero hay esta diferencia: que, con todo su talento, las producciones literarias de Sartre "ilustran", si así puede decirse, o, si se prefiere, "encarnan", su sistema; mientras que las del filósofo español lo constituyen, son parte esencial de su pensamiento, que adquiere de este modo un ritmo respiratorio, circulatorio y hasta digestivo, como función vital casi indiferenciada de un individuo concreto, el siempre repetido "hombre de carne y hueso", que mediante ellas nos incorpora a la intimidad de su ser. (Recuérdese su frase relativa al lector:

> le hablaba a solas los dos, oyéndome los respiros, alguna vez las palpitaciones del corazón, como en confesonario.

Así se explica que los escritos de Unamuno provoquen muchas veces en nosotros—o, cuando menos, por mí hablo—la inconfundible reacción de náusea que nace al contacto de las operaciones fisiológicas.)

Claro está que para establecer ese contacto con su lector debía forjarse los instrumentos literarios adecuados, y por lo que se refiere a la novela, una forma propia que rompiera los moldes vigentes. La narración no es, ni mucho menos, de ocurrencia tardía en Unamuno; surge, por lo contrario, desde el comienzo mismo de su actividad literaria. En la edición de sus obras completas por Afrodisio Aguado se recoge un cuento suyo, "Ver con los ojos", aparecido en *El Noticiero Bilbaíno* a 12 de octubre de 1886, es decir, cuando el autor contaba veintidós años de edad. Y su primera novela, *Paz en la guerra,* publicada en 1897, le había ocupado —declara él mismo en el prólogo a la segunda edición (1923)—durante más de doce años de su vida; según lo cual, debió de comenzar a escribirla hacia la fecha de aquel cuento, quizás antes. Y se trata de una novela voluminosa, compuesta con todas las reglas del arte; es decir, según los cánones de un género novelesco que fundaba su prestigio en el realismo. Ya vimos cómo en la "Historia de *Niebla*" califica a su primera novela de novela histórica, "o mejor historia anovelada, conforme a los preceptos académicos del género. A lo que se le llama realismo"; e incluso alardea:

Apenas hay en ella detalle que haya inventado yo. Podría documentar sus más menudos episodios,

reconociendo implícitamente haber seguido la pauta teórica de Zola y lo que en España había estado haciendo Galdós con maestría indisputada.

Unamuno frente a Galdós

Apenas hace falta señalar el hecho de que *Paz en la guerra* responde—en todos los sentidos de esta palabra—a la imponente obra galdosiana, y en particular a los *Episodios nacionales.* En el citado prólogo a la segunda edición caracteriza su novela como "relato del más grande y más fecundo episodio nacional"; *episodio nacional,* dice. Y por último, parodiando a Whitman, pero con tácita referencia al sentido de la obra de Galdós: "Esto no es una novela; es un pueblo". Pues tanto Galdós en sus *Episodios* como Unamuno en su novela "realista", lejos de limitarse a pintar la realidad reproduciendo los datos ofrecidos al escritor por la experiencia o la historia—lo documentable—, intentan una interpretación de la realidad, España.

Decirlo es innecesario: la que Unamuno propone coincide por completo en su contenido intelectual con sus ensayos simultáneamente elaborados. Cotéjense los siguientes pasajes:

Los que viven en el mundo, en la historia, atados al "presente momento histórico", peloteados por las olas en la superficie del mar donde se agitan náufragos..., éstos creen que puede interrumpirse y reanudarse la vida... No fue la restauración de 1875 lo que reanudó la historia de España; fueron los millones de hombres que siguieron haciendo lo mismo que antes, aquellos millones para los cuales fue el mismo el sol después que el de antes del 29 de septiembre de 1868, las mismas sus labores, los mismos los cantares con que siguieron el surco de la arada ... En este mundo de los silenciosos, en este fondo del mar, debajo de la historia, es donde vive la verdadera tradición, la eterna...

Estas frases pertenecen a *En torno al casticismo,* publicado el año antes que *Paz en la guerra.* Véase ahora cómo la novela repite las ideas del ensayo:

Hablaban ellos entre sí de los cuidados de su vida, y preguntaban a Ignacio, como a forastero, de Bilbao, por la marcha de los sucesos políticos, que parecía, sin embargo, interesarles muy poco. El día de la Gloriosa había sido para ellos como los demás días, como los demás sudaron sobre la tierra viva que engendra y devora hombres y civilizaciones. Eran los silenciosos, la sal de la tierra, los que no gritan en la historia.

En cuanto al asunto de la novela, el que le da título, la guerra civil, más que un tema constituye la verdadera obsesión de Unamuno, cuya vida discurrió enmarcada por el pavoroso fenómeno. Nos cuenta él en sus *Recuerdos de niñez y mocedad* cómo impresionó a su infancia, durante el sitio de Bilbao, lo que considera primer acontecimiento significativo en su vida: la explosión de una bomba carlista el 21 de febrero de 1874. En cuanto a su muerte, ¿quién ignora el modo íntimo en que está trenzada con la guerra civil de 1936? Tendida entre una y otra, su existencia fue incesante elaboración de ese tema, que recurre de continuo, en sus labios y en su pluma, bajo todas las formas: discurso, artículo, carta, ensayo, novela, drama, poesía... En verdad, la pesadumbre de la lucha fratricida gravita sobre su generación entera. No sólo él, sino igualmente Baroja y Valle-Inclán, escribieron novelas de la guerra carlista; y la envidia cainita, que en *Abel Sánchez* está sometida a luces infernales, impregna también mucho de la obra poética de Antonio Machado. Pero nadie como Unamuno llegó a la raíz de ese sentimiento, hasta el punto de convertirlo en criterio central para entender la vida individual y colectiva. La guerra civil asume a sus ojos un valor ambiguo, condición de vida y de muerte, cuyas facetas positivas destaca siempre de nuevo en "paradojas" a veces muy escandalosas. Al final de *Paz en la guerra* había predicado ya—recuérdese—:

> En el seno de la paz verdadera y honda es donde sólo se comprende y justifica la guerra; es donde se hacen sagrados votos de guerrear por la verdad, único consuelo eterno; es donde se propone reducir a santo trabajo la guerra. No fuera de ésta, sino dentro de ella, en su seno mismo, hay que buscar la paz; paz en la guerra misma,

con lo que traza el esquema esencial de la vida humana.

Así, el asunto de su primera novela resulta ser ya decididamente unamunesco; y las ideas que la nutren—tradición eterna, historia e intrahistoria, etc.—habían sido expuestas al propio tiempo en sus ensayos *En torno al casticismo.* Pero la novela misma que incorpora esas ideas—y con ellas, también, otros muchos de los temas que su autor continuaría desarrollando en escritos posteriores—, como tal novela sigue la preceptiva del realismo y el inescapable modelo galdosiano, que se avienen mal con la personalidad de nuestro autor.

Del realismo al "nivolismo"

En efecto, realismo significa objetividad, y la novela realista trata con el mundo de los objetos, de las cosas; y hasta cierto punto los hombres y las mujeres son tratados en ella un poco a la manera de cosas, pues cosas son también en alguna medida, aunque no lo quiera admitir así el don Miguel que discute con don Catalino, hombre sabio. No sólo crean y sostienen el mundo, sino que están en el mundo, en él se encuentran. Su dimensión de cosa—carne y hueso, precisamente; no espíritu puro—es ineludible. Están ahí, cada cual en su sitio. Pero este don Miguel era una personalidad demasiado intrusiva para respetar las distancias.

Carecía, en efecto, Unamuno de esa complaciente virtud que permite al novelador hacerse a un lado para que sus personajes se desenvuelvan según su propia ley: la virtud cervantina por excelencia. Él tenía que invadir exasperadamente el orden de la realidad objetiva, inundarlo con su yo (y ya veremos cómo se prevale de esta condición suya, en novelas sucesivas, para dar autonomía a sus criaturas del único modo compatible con su personalidad absorbente: haciéndoles que se le enfrenten, que se le rebelen y opongan). Por lo pronto, esta primera, "realista", pese a todos sus méritos—y no son parvos—, sólo nos permitirá todavía escuchar la voz del autor, ya sea hablando por sí mismo, o bien por boca de personajes diversos, pero borrosos, indefinidos, sin bulto, meras sombras de que un cierto señor, don Miguel de Unamuno, se vale para comunicarnos sus personales opiniones, emociones y reacciones.

En seguida abandonará "los preceptos académicos del género", esto es: desechará el realismo, para tantear procedimientos novelísticos más acordes con su temperamento. Aún no se atreve a calificar de novela a *Amor y pedagogía*—si bien, entusiasmado más tarde con su nuevo concepto, lo extenderá hasta afirmar que un libro discursivo, como *El sentimiento trágico de la vida*, es también novela; y nos dirá, aplicándolo retrospectivamente, que en *Niebla* reaparece "aquel tragicocómico y *nivolesco* don Avito Carrascal". Se trata, en verdad, con *Amor y pedagogía* de una "nivola" *avant le mot,* que el autor define—irónicamente, por supuesto; pero la ironía es cuchillo de doble filo—como

una mezcla absurda de bufonadas, chocarrerías y disparates, con alguna que otra delicadeza anegada en un flujo de conceptismo. Diríase—añade—que el autor, no atreviéndose a expresar por propia cuenta ciertos desatinos, adopta el cómodo artificio de ponerlos en boca de personajes grotescos y absurdos, soltando así en broma lo que acaso piensa en serio. Es de todos modos un procedimiento nada recomendable, aunque muy socorrido ... Obsérvese, en primer lugar—escribe más adelante en dicho prólogo—, que los caracteres están desdibujados, que son muñecos que el autor pasea por el escenario mientras él habla.

Estas "burlas" transparentan con toda claridad la preocupación de Unamuno por el arte o técnica de la novela, sus perplejidades e inseguridades. Sólo después de haber estudiado a fondo la creación cervantina, sólo después de su *Vida de don Quijote y Sancho*, cuya primera edición es de 1905, hará de la novela instrumento idóneo de su filosofía, identificándola con la vida misma. *Cómo se escribe una novela* es de 1927; pero ya en el volumen de novelas cortas *El espejo de la muerte*, publicado en 1913 (un año antes que *Niebla*), figura una, "Y va de cuento", donde con tono juguetón, ligerísimo, se establece, sin embargo, resueltamente la que pudiera llamarse teoría de la novela unamunesca. El autor se introduce como personaje en la narración desde el principio: "A Miguel, el héroe de mi cuento, habíanle pedido uno", comienza; y explica luego que "era héroe el Miguel de mi cuento porque le habían pedido uno". Más adelante volverá sobre la idea de que el personaje crea a su creador, como el hombre a Dios, "opinión que mantengo muy brillante y profundamente—dice—en mi *Vida de don Quijote y Sancho*". Entre tanto, precisa algo sobre su manera de entender la invención novelesca:

Una buena novela no debe tener desenlace, como no lo tiene, de ordinario, la vida. O debe tener dos o más, expuestos a dos o más columnas, y que el lector escoja entre ellos el que más le agrade.

Al año siguiente reiterará en *Niebla*:

Voy a escribir una novela, pero voy a escribirla como se vive, sin saber lo que vendrá.

Y al final de esta "novela dentro de la novela", el autor mismo, Unamuno, se hace personaje en la célebre confrontación del capítulo XXXI con Augusto Pérez, el protagonista, quien, condenado por su autor a morir, reacciona y declara a éste "otro ente *nivolesco*", no menos destinado a la aniquilación:

Pues bien, mi señor creador don Miguel: también usted se morirá, también usted, y se volverá a la nada de que salió... ¡Dios dejará de soñarle!

Bajo forma novelesca, está expresada aquí la visión del mundo y concepción del hombre que Unamuno había esbozado en *El sentimiento trágido de la vida* (1913) y que volvería a desarrollar hacia 1925 en *La agonía del cristianismo.* Aquel "es que yo quiero vivir, don Miguel... quiero vivir, quiero vivir..." de Augusto Pérez no es sino el ansia de inmortalidad sobre que esa antropología filosófica está fundada.

La obra maestra

Había de pasar tiempo, sin embargo—veinte años todavía—, antes de que tal concepción del hombre, con todas sus implicaciones religiosas y metafísicas, tomara cuerpo integrada en una novela: *San Manuel Bueno, mártir,* es, en efecto, de 1933.

A mi juicio—y entiendo que es opinión bastante compartida—, en esta obra culmina la magistral creación de su autor, acercándose a lo perfecto desde todos los puntos de vista que se la considere. En lo tocante al estilo, sin perder reciedumbre ni adustez, fluye aquí la prosa, libre, en cambio, de las abruptas durezas en que con tal frecuencia suele tropezar, entorpecida, la pluma de Unamuno, y alcanza esa elegancia que sólo la economía confiere. El párrafo con que se abre la narración puede tenerse por un dechado: en sus diez o doce líneas presenta con fácil concisión los elementos todos de la novela: localidad, ambiente, situación, personalidad y sucinta historia del protagonista, y declaración del personaje femenino que la narra en primera persona. Nada hay ahora que sobre, ningún vestigio de aquella machaconería con que tantas veces nos cansa o exaspera Unamuno. Por otra parte, ha atenuado el principio, que intencionadamente venía practicando y proclamando después de *Paz en la guerra*, de la eliminación del paisaje; aquí tenemos de nuevo paisaje natural y paisaje espiritual: Valverde de Lucerna, "aldea perdida como un broche entre el lago y la montaña que se mira en él"; y además la villa sumergida en el lecho del lago:

Y yo oía las campanas de la villa que se dice aquí que está sumergida en el lecho del lago—campanadas que se dice también se oyen la noche de San Juan—y eran las de la villa sumergida en el lago espiritual de nuestro pueblo; oía la voz de nuestros muertos que en nosotros resucitaban en la comunión de los santos.

En este paisaje se integra la comunidad—pues otra vez hay comunidad en esta novela postrera—y, dentro de ella, los personajes individuales; porque también se ha desechado el esquematismo, demasiado seco, de los "relatos acezantes, de realidades íntimas, entrañadas", para colocar éstas dentro de un mundo físico y moral, sí, aunque muy lejano ya del realismo.

El drama de san Manuel Bueno es el sentimiento trágico de la vida; su martirio, la agonía del cristianismo. Una agonía remansada ahora, por fin, en caridad. Y el varón matriarcal ofrece una figuración de Unamuno mismo, de todo hombre... y de Cristo; pues ¿quién no recordará, una vez leído, el tremendo pasaje de la comunión?:

> Cuando llegó a dársela a mi hermano, esta vez con mano segura, después del litúrgico ...*in vitam aeternam,* se le inclinó al oído y le dijo: "No hay más vida eterna que ésta..., que la sueñen eterna..., eterna de unos pocos años..." Y cuando me la dio a mí me dijo: "Reza, hija mía, por nosotros". Y luego, algo tan extraordinario que lo llevo en el corazón como el más grande misterio, y fue que me dijo con voz que parecía de otro mundo: "...y reza también por Nuestro Señor Jesucristo..."

¿No había escrito en *Cómo se hace una novela* que "Dios se calla. Y se calla porque es ateo"? Ése es para él el fondo de la tragedia universal. En forma diáfana, cuajado todo ello en una obra de arte equilibrada, tersa y sumamente expresiva, se nos ofrece ahora lo que había estado germinando—o, para usar la conocida metáfora de su autor, gestándose—a lo largo de toda una vida fecundísima.

Pues resulta en verdad tan notable la precocidad con que se manifiestan en Unamuno las que en su caso podemos bien llamar ideas poéticas, como la segura lentitud con que avanzan, en cambio, hacia su versión definitiva en un parto completamente logrado. De fecha tan temprana como 1895 es un cuento, "El semejante", donde se contiene una prefiguración del Blasillo de *San Manuel Bueno, mártir,* con Celestino el tonto, cuya alma "lo abarcaba todo en pura sencillez; todo era estado de su conciencia". Y el propio don Manuel se encuentra preludiado en "El maestro de Carrasqueda", de 1903, donde una comunidad aldeana vive espiritualmente animada por virtud de un hombre excepcional. Aquí el problema es todavía el de la regeneración de España; y la acción se sitúa en el futuro.

Los que le hemos conocido [al maestro don Casiano] en este último tercio del siglo XX, anciano, achacoso, resignado y humilde, a duras penas lograremos figurarnos aquel joven fogoso, henchido de ambiciones y de ensueños, que llegó hacia 1920 al entonces pobre lugarejo en que acaba de morir.

Esta muerte se asemeja mucho a la que le esperaba a san Manuel Bueno, quien, como se recordará, fue llevado a la iglesia, y "se le puso, en el sillón, en el presbiterio, al pie del altar. Tenía entre sus manos un crucifijo".

Al maestro lo habían llevado también a morir en su escuela,

junto al encerado, frente a aquella ventana que da a la alameda del río, apacentando sus ojos en la visión de las montañas de lontananza, que retenían las semillas de los ensueños todos que, contemplándolas, le habían florecido al maestro en el huerto del espíritu.

Y las palabras finales del moribundo, largas y patéticas, anuncian el tránsito

de esta España, de la terrestre, de la que fluye, a la otra España, a la España celestial.

Originalidad de Unamuno

A la posición filosófica fundamental de Unamuno hay que atribuir su fuerte originalidad de escritor, sus innovaciones técnicas y, en definitiva, sus aciertos mayores, porque, siendo esa posición filosófica inherente a su personalidad íntima, le ha movido, desde el centro de ésta, a buscar la expresión condigna y auténtica. Su manera de comprender hombre y mundo, es decir, de comprenderse a sí mismo y de entender la vida, produce una obra literaria cuyas características formales deben reflejarla y comunicársela al lector con eficacia máxima.

Ya pudimos darnos cuenta de cómo los procedimientos del realismo, a que se atuvo para componer *Paz en la guerra*, se acomodaban mal a su talento y a su visión del universo. Dentro de la concepción realista de la novela, la personalidad absorbente de Unamuno tenía que arrebatarle toda sustantividad al conjunto de personas y cosas que pretende reproducir, convirtiéndolas en mera sombra de sí mismo, sin autonomía alguna. También hemos observado la insatisfacción que esto le produce, y los tanteos con que en seguida se aplica a descubrir técnicas más adecuadas a sus necesidades de expresión. El artificio—como él mismo lo llama—"de escribir el relato en presente siempre", que empleara en *Amor y pedagogía*, y que, en definitiva, no debió de contentarlo, estaba destinado ya, parece claro, a crear una identificación entre novela y vida, más que una imitación de ésta por aquélla, haciendo que la narración se abriese, desde una actualidad en continuo progreso, hacia el inminente futuro. Apunta ahí la preocupación que le llevaría, en la línea de *Niebla*, *Cómo se hace una novela* y *San Manuel Bueno, mártir* a esa interpretación e integración de la realidad imaginaria con la práctica, y del creador con sus criaturas, que constituye la más profunda y, al mismo tiempo, la más espectacular—en todo caso, la más afortunada—de sus innovaciones.

Aparte de ésta, o mejor dicho: en conexión con ella, procederá Unamuno a desencarnar a sus personajes, desnudándolos del ambiente, sacándolos de toda circunstancia concreta (y, con eso, prescindiendo de las "cosas" y de lo que el hombre mismo tiene de cosa), para reducirlos, más allá de cualesquiera complejidades psicológicas, al núcleo esencial de la personalidad, que puede serlo, acaso, la pasión de la envidia, como en *Abel Sánchez*; o el ansia de una maternidad dominante, como en *Los hijos espirituales*, o en *Dos madres*; o la de autoafirmación frenética, como en *Nada menos que todo un hombre.* Resultado de tal procedimiento es la intensidad casi insufrible de la novela unamunesca. El lector se siente enervado por el zumbido incesante de la alta tensión en que los personajes viven.

Y en seguida se advertirán los efectos negativos que, desde el punto de vista artístico, ha de tener una tensión tan sostenida: no sólo ocasiona fatiga, sino que también priva al autor del recurso a aquellas gradaciones emocionales mediante cuyo contraste suelen obtenerse los mayores frutos estéticos de la composición. Pero, por otra parte, Unamuno sentía la inexcusable necesidad de proyectar personajes enterizos, capaces de sostener su personalidad frente al autor, y—siendo criaturas suyas—volverse contra él en manera luciferina —o siquiera adánica—, enfrentarlo, y convertirlo a su vez en personaje de la trama novelesca.

En rigor, esta técnica en cuanto tal se encontraba inventada ya, y aplicada con maestría suma. En materia de novela, parecería que todo lo hubiera hecho antes, y mejor, Cervantes: no puede extrañarnos que a Unamuno se la sugiriera el estudio del *Quijote.* La originalidad de nuestro autor estriba en haber sabido hacer de necesidad virtud, radicalizando el procedimiento hasta convertirlo en eje de su propia creación, en el principio fundamental de la obra literaria a través de la cual nos comunica su visión del mundo. El novelista saca sus personajes de la nada, como Dios a los hombres de carne y hueso, asumiendo al hacerlo así un papel divino.

Pero Unamuno desprenderá todas las consecuencias del hecho: lo que el creador hace, en efecto, es desempeñar un papel; Dios mismo desempeña también un papel, siendo a su vez criatura poética de sus personajes. No se trata ya, pues, del Dios omnisciente y omnipotente, siquiera en segunda potencia, que ha creado un mundo y lo gobierna, o que se limita a complacerse en su obra; no del Dios eterno, que se está en los cielos mientras que nosotros, tirados aquí, gemimos y lloramos; sino del Dios cristiano, encarnado; del Dios sufriente, agónico; del Cristo, de san Manuel Bueno, el que clama al Padre Eterno: "¡Dios mío, Dios mío! ¿Por qué me has abandonado?"; de Nuestro Señor Jesucristo, por quien hace falta rezar; del Dios, en fin, creado por sus criaturas en la desesperada esperanza del abandono... Tal es la revolución cumplida por Unamuno. Cervantes se había mirado a sí mismo como personaje, y se incluyó en el cuadro, y es el soldado Saavedra de *El trato de Argel*, y es Cide Hamete Benengeli, y es el perplejo escritor del prólogo a la primera parte del *Quijote*, o el que encontrará en Toledo los cartapacios, figuras todas de una realidad imaginaria que existe por sí misma, desprendida del autor. Pero en Unamuno tal desprendimiento no existe, no hay distancia (y por eso, tampoco, nunca, una sonrisa, humor alguno, aunque sí abunde el sarcasmo). Unamuno jamás se retira para comprobar que su obra está bien hecha, sino que, metido de cabeza en su corriente, que es a la vez la corriente de su vida, bracea y se debate, protagonista-antagonista universal, y no nos da respiro, nos hace echar el bofe por seguirle en su "acezante" afán de supervivencia, de imposible eternidad.

Expresión de una personalidad singularísima, su producción literaria es, no literatura, sino algo que se encuentra más allá de ésta: lo que él denomina "poesía". Y—no hay que decirlo—cuando le ayuda la suerte consigue, en efecto, esa alta poesía que sólo se encuentra cifrada en la obra de arte perfecta.

Acierto y desacierto en la novela unamunesca

Pero ha de ayudarle la suerte, pues él mismo no se molestará en poner a contribución las virtudes modestas del artesano que, a imitación de aquel otro, del grande, del Supremo Artesano del Mundo, se complace en la obra de sus manos y la respeta. Unamuno concibe, gesta y pare la suya biológicamente, como un fruto natural de su yo celosísimo. Los hijos del espíritu, igual que los de la carne (para usar una de sus fórmulas favoritas), pueden tanto nacer logrados y hermosos como disformes; también a los vástagos del creador literario debe aplicárseles—cree—la tesis de *Amor y pedagogía*. "A lo que salga" es, en Unamuno, una manera muy deliberada de ponerse a escribir, según su más profunda convicción. Y lo que sale será en casos dados una maravilla—junto a *San Manuel Bueno, mártir*, otros títulos pudieran colocarse en el catálogo de sus obras maestras—; pero hay también casos en que la espontaneidad incontrolada, la negligencia artística, el desdén hacia la "literatura", rebaja la calidad del producto, privándolo de la eficacia que implícitamente nos prometía el material utilizado.

El análisis sumario de uno de sus cuentos más característicos, "La beca", perteneciente a *El espejo de la muerte*, bastará para mostrar cómo esa actitud displicente a que su concepto de la creación poética responde, y en cuyo fondo se descubre un residuo de conceptos románticos, puede frustrar posibilidades superiores; pues aquí es evidente que un estudio más cuidadoso de la composición hubiera elevado, mejorando la forma objetiva de una obra de arte, la eficacia espiritual del relato. Pero ya en otro—citado antes—del mismo libro ha declarado de sí propio el autor:

> El Miguel de mi cuento no era un cuentista. Cuando por acaso los hacía, sacábalos, o de algo que, visto y oído, habíale herido la imaginación, o de lo más profundo de sus entrañas.

De lo más profundo de sus entrañas, o visto u oído, "La beca" nos presentará al cesante don Agustín, que nunca encuentra trabajo. Pocas líneas necesita el escritor para entregarnos el secreto íntimo del personaje, su alma, un alma lo bastante compleja para permitirle regodearse en aquella misma condición de cesante que le hace padecer. De modo abrupto, introducirá en seguida al hijo, "Agustinito, desmirriado y enteco"; y a continuación, ahora mediante un enlace muy diestro, a la madre:

> —Es nuestra única esperanza—decía la madre, arrebujada en su mantón, una noche de invierno—; que haga oposición a una beca, y tendremos las dos pesetas mientras estudie.

Sigue la historia, narrada con toda congruencia, hasta llegar a la muerte del muchacho. El primer vómito de sangre con que se le declara la tisis da ocasión a Unamuno para escribir este párrafo, tan denso como terso:

Y el pobre muchacho se quedó mirando al libro, a la mancha roja, y más allá de ella, al vacío, con los ojos fijos en él y frío de la desesperación acoplada en el alma. Aquello le sacó a flor de alma la tristeza eterna, la tristeza trascendental, el hastío prenatal que duerme en el fondo de todos nosotros y cuyo rumor de carcoma tratamos de ahogar con el trajineo de la vida.

Pero la enfermedad y, luego, la muerte del desdichado hacen que el autor irrumpa impetuosamente en la narración para hacernos saber cuánto le indigna la conducta egoísta de aquellos progenitores:

—Ahora, ahora que iba a empezar a vivir—hace que la madre lamente—; ahora que nos iba a sacar de miserias; ahora... ¡Ay, Agustín, qué triste es la vida!

—Sí, muy triste—murmuró el padre, pensando que en una temporada no podría ir al café.

El lector que, poco a poco, ha ido absorbiendo el espanto sutil de aquel manso egoísmo demasiado humano, percibe aquí, en la última frase, una nota falsa. No es cierto—en términos de verosimilitud literaria—que el padre haya pensado así, sino que Unamuno, lleno de cólera, le imputa lo que el buen señor jamás hubiera admitido en su conciencia. Y el efecto es contraproducente. Al atacar con ese sarcasmo a su personaje y exponerlo, y señalarlo con el dedo, el autor nos libera a los lectores, quizás para liberarse él mismo, de la angustia producida por la aceptabilidad de una situación vital en cuya culpa nos sentíamos solidarios. Y de ahí en adelante sigue don Miguel despotricando por boca del médico a quien ha hecho interlocutor suyo, a lo largo de una página larga. Bien está. Ya nuestro hombre se ha desahogado. Ahora empieza a ver el caso desde otro ángulo. ¿Es que la víctima no coopera siempre al sacrificio? En un cuento de 1891, "El desquite", había escrito (y es una de tantas veces como habría de formular su idea de la lucha civil fecunda):

> Cada uno aprende así que, frente a su voluntad, hay otras voluntades, y que no hay otro remedio que imponerse o someterse a ellas.

¿Acaso Agustinito no ha sido, en lo íntimo de su ser y por esencial determinación, víctima voluntaria? Esta reflexión *post-mortem* le hace a Unamuno introducir nuevas figuras en el cuento: una novia, de la que no teníamos barrunto—más aún: para la que no había lugar—, y de la cual se nos dice ahora que pensaba haberse casado cuando el estudiante se colocara. "De no haberle comido sus padres, habríale comido su novia", declara otro interlocutor advenedizo, que discurre acerca del devoramiento mutuo... El cuento está escrito *a lo que salga*; ciertos elementos que hubieran debido insertarse armónicamente en la economía de su composición aparecen añadidos, como pegotes. Y el lector se queda con el desconsuelo de una obra maestra frustrada por desdén hacia el arte, que no por carencia de facultades.

El personaje de una pieza

Ya hemos podido comprobarlo: el acierto, así como los desaciertos, en la obra unamuniana son resultado de la cerrada resolución con que el autor se propone, no expresar algo, sino expresarse a sí mismo en ella. Todos los rasgos de la dicha obra se refieren directamente a la personalidad enteriza e intrusiva de don Miguel de Unamuno. Sus personajes trasuntan el concepto que el hombre concreto así llamado tiene del ser hombre, y responden, más que a la observación y a la intuición, a ese íntimo concepto. Conociendo toda la desconfianza que en él hay frente a la razón, no podrá extrañarnos que en sus novelas lo racional—por contraste con la vida—entre tan sólo como objeto de escarnio y sea con frecuencia materia cómica. Lo es, sobre todo—y se comprende—, cuando aparece bajo forma institucionalizada, como ciencia o pedagogía: personajes de la ralea de don Avito Carrascal o de don Catalino (hombre sabio) se dan como exponente de la tontería humana; mientras que, en el otro extremo, encontramos los personajes que afirman su existencia como un puro hecho, haciendo de este hecho desnudo razón, no ya última, sino única, de su conducta. El caso extremo sería el Alejandro Gómez de *Nada menos que todo un hombre*, quien, en su exageración, toca al absurdo y llega a convertirse, contra el propósito del autor, en personaje... cómico. En efecto, para que pudiéramos haber tomado en serio el frenético egocentrismo y la insensata arrogancia que a su héroe le atribuye, hubiera tenido Unamuno que sustanciar psicológicamente el carácter. No digo presentarnos un cabal y circunstanciado estudio de su personalidad psicosocial, puesto que su propósito se dirige más bien a entregarnos la integridad vital del sujeto que se yergue en desnuda y concretísima existencia; pero sí, al menos, dejarnos entrever siquiera las raíces de un proceder tan anómalo, como nos las deja entrever Cervantes—quien tampoco, claro está, hace psicología—cuando acaso sus personajes incurren en líneas de conducta irrazonables. Para Alejandro Gómez, el *parvenu* soberbio y sediento de desquite, no le faltaban modelos a Unamuno, y algunos, por cierto, bien inmediatos: ahí estaba, sin ir más lejos, el Pepet de Galdós en *La loca de la casa,* cuyo comportamiento resulta, en cambio, completamente aceptable, o—dicho en términos literarios—verosímil. Pero es que, empeñado en afirmar existencia frente a razón, no quería Unamuno descender a explicaciones de clase alguna; con lo cual, en lugar de *todo un hombre,* su Alejandro Gómez resulta ser todo un fantoche, al que ni siquiera el suicidio final consigue redimir del ridículo. En otras figuras enterizas, en arpías estériles como la Eulalia de *Los hijos espirituales,* o aun madrazas estériles como la tía Tula, conocemos—o adivinamos—las raíces biopsíquicas de que sus respectivas personalidades se nutren y, sobre la base de tal conocimiento, estamos dispuestos a aceptarlas en su absoluta, cerrada y enteriza determinación; pero Alejandro Gómez afirma su personalidad en el vacío, y esto es, desde luego, lo que ha querido hacer Unamuno: forjar un caso de personalidad pura, que en definitiva resulta absurdo y que, según indiqué antes, llega hasta volverse cómico.

En contraste con estos héroes berroqueños, caracteres de una pieza, hallamos en la obra de Unamuno los "michinos", los "mequetrefes", a quienes el autor aniquila con su desprecio. El uso de razón parece excluido por completo del mundo novelesco unamuniano. Un Augusto Pérez, tan caviloso, no es discursivo, sino vacilante; personaje, como él mismo reconoce, cuyo carácter es "el de no tenerlo", y de ahí su agonía; pero también los otros caracteres, los que lo tienen, agonizan; ni discurren, ni piensan, ni hacen uso de la razón, que no pasa de ser disparatado artilugio en manos de los Avitos Carrascal; sino que agonizan, o—lo que es igual—están poseídos del sentimiento trágico de la vida.

A la vista de tal galería de personajes—los que, por existir, agonizan, y los que, al no agonizar, tampoco existen—se entiende la actitud de Unamuno frente a la novela realista, a cuyos postulados se sustrajo en seguida. La novela realista pertenece al orden de lo cómico, y lo cómico es, para él, desdeñable en absoluto.

El sentimiento cómico de la vida

Pero con esto hemos llegado a un punto de importancia mayor, el último que quisiéramos dilucidar en nuestro estudio de la novela unamunesca; a saber: su manera de entender la comicidad. ¿En qué consistirá ésta para Unamuno? Él mismo va a ponernos muy pronto sobre la pista. En el volumen donde apareció *San Ma-*

nuel Bueno, mártir, figuran tres historias más, y una de ellas se titula *Un pobre hombre rico, o el sentimiento cómico de la vida.* Leyéndola, nos damos cuenta inmediatamente de que el sentimiento cómico de la vida es el de quienes la sienten en su dimensión trivial, quienes —como ese Emeterio Alfonso, "fundamental y radicalmente ahorrativo"—se reservan a sí mismos—se hacen "el rana"—, olvidando que la vida no da tregua, y corre sin cesar hacia la muerte. Semejante olvido es lo que constituye el sentimiento cómico de la vida, mientras que el sentimiento trágico está constituido por la conciencia de la muerte. ¿Se recuerda el párrafo de "La beca" transcrito antes? Su vómito de sangre ha despertado en Agustinito

el hastío prenatal que duerme en el fondo de todos nosotros y cuyo rumor de carcoma tratamos de ahogar con el trajineo de la vida;

y el infeliz

se queda mirando al vacío ("... toda la tristeza con que ha sido amasada nuestra carne, pesares de ultracuna ... ",

había escrito ya Unamuno en otro cuento, "El abejorro" (1900), de aguda sensibilidad finisecular, pero donde aparece claro, como bien puede verse, el pensamiento "existencialista" de su autor; y en otro más, "Sueño", éste de 1897, puede leerse:

¡La nada!, estar cayendo, cayendo por el vacío inmenso..., no, no estar cayendo siquiera...).

Pues bien: ese trajineo de la vida con el que tratamos de ahogar en el fondo de todos nosotros el rumor de carcoma del hastío prenatal, o de la tristeza eterna, es comedia, es la comedia; y aferrarse a su cotidianidad implica tener un sentimiento cómico de la vida, vivir en comedia.

Dicho de otro modo: la comedia son las cosas, el mundo de las cosas—es decir, el mundo—; y dentro de él, los hombres en cuanto cosas, y uno mismo, cada uno, distrayéndose de su tristeza trascendental con las cosas del mundo; en fórmula de Ortega, comedia sería la alteración (o enajenación) frente al ensimismamiento.

Ocurre ahora que la vida humana está hecha de ensimismamiento, pero también de enajenación; que se tiende entre lo trascendente y lo cotidiano; de modo que si la novela ha de interpretar su sentido tendrá que representarla atraída a la vez por ambos polos, el positivo y el negativo: tendrá que ser tragicomedia. Unamuno posee, sin duda, un clarísimo concepto teórico de la comedia y de su importancia como ingrediente existencial, pero carece por completo de sensibilidad cómica. No experimenta complacencia en las cosas ni tiene indulgencia para con los hombres: desconoce la risa—¡cuanto más la sonrisa!—; y aquello que nos da por comedia es, a lo sumo, caricatura, sátira, y hasta sarcasmo. Lo que en él pretenden ser gracias no pasan de zafiedades y, a veces, groserías embarazosas ("bufonadas y chocarrerías, no siempre del mejor gusto", según él mismo escribiera en el prólogo a *Amor y pedagogía*). En cuanto a los personajes cómicos—mequetrefes o michinos—, les presta patetismo con su desprecio; se lo presta, pues ellos en sí no lo tienen, al traspasarlos con la espada fulmínea de su mirada trascendental.

En efecto, apenas fija esa mirada en los objetos del mundo, los absorbe, y transforma su comedia en tragedia, en eternidad. Prestemos atención por un momento a otra de las historias que acompañan a *San Manuel Bueno, mártir*: "La novela de don Sandalio, jugador de ajedrez", que trata el problema del "otro", de la personalidad del prójimo. Como de costumbre, el tema venía elaborándose de antiguo en la mente del autor. Un cuento de 1889, "Las tijeras", que pudiera considerarse versión previa de "Don Sandalio", testimonia de ello. En dicho cuento, dos viejos, ya jubilados, que saben muy poco el uno del otro, se reúnen todos los días en el café a monodialogar y (otro motivo unamunesco, que ahí interfiere) a odiarse recíprocamente en el perrito y en la hija respectivos.

El amo del perro odiaba sin conocerla a la hija de don Pedro ... Un día faltó don Pedro al café, y siguió faltando, con gran placer del perrito de aguas. Cuando el amo de éste supo que el padre había muerto, murmuró: "¡Pobre señor! ¡Algún disgusto que le ha dado su hija!..." Y siguió su monólogo. El eco de su alma se había apagado, ¿quién era? ¿De dónde venía? ¿Cómo vivía? Ni lo supo, ni intentó saberlo, y quedó solo y no conoció su soledad.

El tono se ha hecho de escritura sagrada, bíblico; y la comedia se ha transformado en tragedia por virtud de la reflexión final del autor... Igualmente con "Don Sandalio". Escrito en forma epistolar, asume en seguida este cuento de la cotidianidad el tono patético, "acezante", que infunde un sentimiento trágico en la comedia:

Pero éste [don Sandalio] es ya parte de mi vida—dice el supuesto autor de las cartas—. También yo, como Robinsón, he encontrado la huella de un pie desnudo de alma de hombre, en la arena de la playa de mi soledad; mas no he quedado fulminado ni aterrado, sino que esa huella me atrae. ¿Será huella de tontería humana? ¿Lo será de tragedia? ¿Y no es acaso la tontería la más grande de las tragedias del hombre?

También la tontería, la comedia, se resuelve para él en tragedia.

Excluida la razón, que, según él piensa, es contraria a la vida, ésta se reducirá al puro enfrentamiento del individuo con lo eterno. Acaso el momento de la racionalidad—se me ocurre a mí sugerir—sea precisamente aquel que inserta trascendencia en la vida cotidiana; pero, habiendo rechazado Unamuno por principio lo racional al plano cómico ("como al fin y al cabo se ha de morir uno...", le alega el autor a su don Catalino como argumento último e irrefragable); sus novelas son ventanas siempre abiertas sobre la persepectiva de la muerte, del vacío que nos quiere sorber sin que podamos agarrarnos a cosa alguna; y de ahí el vértigo que producen.

¿Será esto una falla del novelista? No me atrevería a afirmarlo, después de haber sostenido que la novela es un género que cada autor ha de adaptar a sus necesidades expresivas para trasuntar y transmitir originalmente su propia visión del mundo. Unamuno lo hizo así hasta el último extremo.

ÍNDICE

Impreso en el mes de febrero de 1974
en los talleres de Ariel, S. A.,
Avda. J. Antonio, 134-138,
Esplugues de Llobregat
(Barcelona)

DATE DUE	BORROWER'S NAME